Klaus Kordon
Die Flaschenpost

Die Flaschenpost kam auf die Auswahlliste
zum Deutschen Jugendliteraturpreis

Klaus Kordon

Die Flaschenpost

Roman

Ebenfalls lieferbar: »Die Flaschenpost« im Unterrricht
in der Reihe *Lesen – Verstehen – Lernen*
ISBN 978-3-407-62787-2
Beltz Medien-Service, Postfach 100565, 69445 Weinheim
Kostenloser Download: www.beltz.de/lehrer

Dieses Buch ist erhältlich als:
ISBN 978-3-407-78378-3 Print
ISBN 978-3-407-74143-1 E-Book (EPUB)

in der Verlagsgruppe Beltz • Weinheim Basel
Werderstraße 10, 69469 Weinheim

Die Flaschenpost erschien erstmals 1988
im Ravensburger Buchverlag Otto Maier GmbH
Neue Rechtschreibung
Einbandgestaltung: Max Bartholl
Einbandbild: Peter Knorr
Druck und Bindung: Beltz Grafische Betriebe,
Bad Langensalza
Printed in Germany
21 22 23 24 25   24 23 22 21 20

Weitere Informationen zu unseren Autor_innen und Titeln
finden Sie unter: www.beltz.de

Inhalt

»Diese Geschichte beginnt mit Es war einmal.
So beginnen Märchen. Was in diesem Buch
erzählt wird, aber ist kein Märchen – das war
Wirklichkeit, viele lange Jahre lang.
Und es ist noch gar nicht so lange her,
da wagte niemand,
auf ein gutes Ende zu hoffen …«

Die Stadt, der Fluss, der Junge
Auf hoher See
Pipusch vom anderen Stern
Eine Idee

Es war einmal eine große Stadt, in der lebten zwei Kinder, ein Junge und ein Mädchen. Der Junge hieß Matthias und wurde von seinen Freunden nur Matze gerufen. Das Mädchen hieß Angelika und war für alle nur die Lika.

Die Stadt bestand aus zwei Hälften. Die eine lag nach Osten hin, die andere nach Westen. Matze lebte im Ostteil der Stadt, Lika im Westteil. Zwischen Ost und West aber war eine Grenze, viel Gerede und viel Feindlichkeit. Die Stadt hieß Berlin.

Durch die geteilte Stadt floss ein Fluss. Er floss im Südosten in die Stadt hinein und im Nordwesten wieder hinaus. Der Fluss hieß Spree und an seinem Ufer gab es viel Grün, aber auch viele Fabriken und Häuser. Und da der Fluss mitten durch die Stadt hindurchfloss, war auch er zweigeteilt.

Matze wohnte nicht weit von der Spree entfernt. Nur ein kleiner Wald war zwischen der Straße und dem Flussufer – der Plänterwald, in dem die Kinder sich nach der Schule trafen, um Fußball zu spielen, Verstecken oder Fangen. Meistens spielte Matze mit, manchmal aber war er lieber allein. Dann setzte er sich an die Uferböschung, stützte die Ellenbogen auf die Knie und den Kopf in die Hände und sah ins Wasser. Und dabei träumte er.

Immer dem Fluss nach träumte Matze. Er wusste ja, die Spree floss in die Havel und die Havel durch viele Seen und Kanäle in die Elbe. Und die Elbe floss in die Nordsee, ins Meer.

Eines Tages aber träumte Matze nicht nur, sondern schnitzte sich aus Borke ein Schiffchen und ließ es auf dem Wasser treiben. Und dann malte er sich aus, wie es an der Liebesinsel vorübertrieb und unter der Treptower Brücke hindurch bis in den Osthafen und immer weiter bis unter der Weidendammbrücke hindurch. Was danach kam, konnte er sich nicht mehr vorstellen. Hinter der Weidendammbrücke begann West-Berlin und West-Berlin kannte er nur aus dem Fernsehen.

Es war aber West-Berlin, wo die Spree in die Havel floss. Das wusste Matze aus dem Erdkunde-Unterricht. Und dass die Havel an Feldern und Kiefernwäldern vorüberfloss, hatte er mal in einem Film gesehen. Genau wie die Stadt Hamburg, die an der Elbe lag und an der sein Borkenschiffchen, wenn alles gut ging, irgendwann vorbeitreiben musste.

An dieser Stelle seines Traumes angekommen, legte Matze sich ins Gras zurück und schloss die Augen. Und dann stellte er sich den Hamburger Hafen vor, wie er ihn aus dem Film kannte. Er sah die vielen Kräne vor sich, die riesigen Frachtschiffe und die kleinen Barkassen und mittendrin sein Borkenschiffchen, wie es durch all die Betriebsamkeit hindurch immer weitertrieb. Bis die Elbe so breit war, dass kein Ufer mehr zu sehen war, sondern nur noch Schiffe – welche, die in den Hafen hinein, und andere, die wieder hinaus wollten. Und manchmal grüßten die Schiffe einander mit lang gezogenem Tuten.

Es war ein sehr warmer Frühsommertag. Der Himmel war blau und es machte Spaß zu träumen. Also träumte Matze seinen Traum weiter. Er sah sein Schiffchen durch den Hafen hindurch- und auf den Atlantik hinaustreiben. Die Wellen wurden höher und höher und sein Schiffchen tanzte von Wellenberg zu Wellenberg. Es tanzte an riesigen Tankern und schneeweißen Segelschulschiffen vorüber, begegnete Frachtern aus allen möglichen Ländern und kreuzte einmal sogar den Weg eines Passagierschiffes, das so aussah wie die »Titanic«, die er auch aus einem Film kannte.

Dann kam ein Sturm auf, die Wellen wurden noch höher, immer höher. Karwenzmänner waren das, sogar die größten Pötte wurden hin und her geworfen; Matzes Borkenschiffchen fuhr Achterbahn. Rauf und runter ging es, rauf und runter. Und der Himmel war düster von schwarzen Wolken.

Matze grinste und legte die Hände unter den Kopf. Nun wollte er an etwas Schönes denken: Die Wolken lösten sich auf, eine heiße Sonne strahlte herab und ein langer weißer Strand mit vielen Palmen war zu sehen. Vereinzelte Felsen brachen die Brandung ...

Etwas kitzelte Matze an der Nase. Er wischte es weg. Was er sah, musste Amerika sein, Südamerika oder Indien ... Wieder kitzelte es an der Nase. Matze öffnete die Augen und sah Pipuschs Gesicht über sich: Pipusch Klemm aus der Nr. 68, sein Tischnachbar aus der Schule und sein bester Freund.

»Haste geschlafen?« Pipusch sah ihn neugierig an. »Oder ist dir schlecht?«

»Nee!«, sagte Matze nur, obwohl das ja keine Antwort war. Er war verlegen und ein bisschen ärgerlich. Ihn mitten aus einem so schönen Traum zu reißen, das konnte nur Pipusch einfallen.

Natürlich hieß Pipusch nicht wirklich Pipusch, sondern Gerrit, aber es gab kaum einen in der Klasse, der keinen Spitznamen hatte. Warum Pipusch aber ausgerechnet Pipusch hieß, wusste keiner. Schon im Kindergarten hatten ihn die Kinder so gerufen. Und irgendwie passte das auch. Pipusch war Pipusch; wenn es den Namen sonst nicht gab, war er eben für Pipusch erfunden worden.

Pipusch setzte sich zu Matze an die Uferböschung, zog seine Schuhe aus und tauchte die Füße ins Wasser. »Die Mathe-Arbeit heute Morgen«, sagte er, während er mit den Füßen Wellen machte, »die war wieder der reinste Horror. Bestimmt wird's 'ne Fünf.«

Pipusch war nicht besonders gut in der Schule. Frau Merz, die Klassenlehrerin, organisierte Nachhilfestunden für ihn; jeder, der irgendwo eine Spezialstrecke hatte, musste ihm helfen. Doch es nützte alles nichts. Pipusch dachte einfach immer anders, als die Lehrer oder die Schulbücher es von ihm erwarteten. Er kam wohl von einem anderen Stern, wie Frau Merz manchmal seufzend sagte. Und auf diesem Stern wurde quergedacht statt geradeaus.

Matze half Pipusch oft. Aber an diesem Tag hatte er keine Lust, an die Schule zu denken. Er nahm einen Zweig und warf ihn ins Wasser. Und dann fragte er leise: »Was meinst 'n, wo der jetzt hintreibt?«

»Nach Treptow«, antwortete Pipusch schnell. Er glaubte, Matze wolle ihm wieder irgendeinen Nachhilfeunterricht erteilen. Aber Matze fragte keine weiteren Stationen ab, sondern kam gleich zur Sache. »Ob der wohl bis nach Amerika treibt?«

Pipusch hielt die Füße still und überlegte. »Nee«, sagte er dann und begann wieder Wellen zu machen.

»Und warum nicht?«

»Er verfault.«

»Wer?«

»Der Zweig!«

Matze sah Pipusch eine Zeit lang nur an, dann schlug er vor: »Es muss ja kein Zweig sein, kann ja auch was anderes sein, was Festeres.«

»Das geht unter.«

»Mensch!« Matze sprang auf. »Ich mach doch hier mit dir kein Quiz. Ich will nur wissen, ob ...« Er brach ab. Pipuschs Augen hatten plötzlich aufgeleuchtet. »Was ist?«

»Ich weiß, was du meinst«, strahlte Pipusch.

»Und was meine ich?«

»'ne Flaschenpost.«

Matze wollte sich schon ärgern und sagen, dass er keine Flaschenpost gemeint hatte, dann ließ er das sein. Warum eigentlich nicht? Glas verfaulte nicht und eine leere Flasche ging nicht unter.

Pipusch ahnte, dass er was Tolles gesagt hatte. Erwartungsvoll blickte er Matze an. Doch Matze sah nur auf die Spree hinaus. Er dachte sich sein Borkenschiffchen weg und sah dafür eine Flasche von Welle zu Welle tanzen, sah, wie sie an den Palmenstrand spülte, von dem er zuletzt geträumt hatte, und wie sie gefunden wurde. Ein braunhäutiger Junge griff nach ihr ...

»Eine Flaschenpost kommt bestimmt bis nach Amerika.« Pipusch wollte jetzt endlich sein Lob, das hatte er sich verdient.

»Ja, ja!« Matze klopfte sich den Hintern ab und stand dann wieder nur nachdenklich da.

»Willste eine loslassen?«, fragte Pipusch neugierig.

»Eine was?«

»Na, 'ne Flaschenpost.«

»Quatsch!« Matze tippte sich an die Stirn. »Bin doch kein Spinner.«

»Und warum haste dann gefragt?«

»Nur so.« Matze wandte sich ab und ging auf den Wald zu.

»Warte doch!«, schrie Pipusch. Und dann nahm er Schuhe und Strümpfe in die Hand und lief hinter Matze her. Doch Matze lief vor ihm weg. Er wollte jetzt allein sein, wollte über alles nachdenken. Was Pipusch da gesagt hatte, war gar nicht so dumm. Im Gegenteil, eigentlich war es eine Superidee; eine Idee, die ihn ganz aufgeregt machte.

Lika vom Leo
Ein bisschen reden
Schröders Damenwelt
Ein Häuschen im Grünen

Am gleichen Tag, an dem Matze und Pipusch an der Spree saßen, saß auch das Mädchen Lika an diesem Fluss. Nur einige Kilometer weiter flussabwärts, am Hansa-Ufer. Dort gab es zwischen all den vielen Häusern links und rechts eine Brücke über die Spree – den Wullenwebersteg. Gleich daneben stand eine Trauerweide. Unter der war sie herrlich allein, konnte sie prima traurig sein.

Ja, Lika war traurig. Sie wohnte noch nicht lange in dieser Gegend, erst eine Woche. Vorher hatte sie am Leopold-Platz gewohnt, auch in West-Berlin. Am Hansa-Ufer, fanden die Eltern, konnte man besser wohnen. Lika war anderer Meinung und deshalb war sie traurig.

Am Leopold-Platz war sie aufgewachsen, da kannte sie die Kinder, kannte sie die Geschäfte, die Nachbarn. Jede Straßenecke war ihr vertraut. Hier war alles fremd. Und die Kinder waren beknackt, besonders die in ihrer neuen Klasse. Sprotte hatten sie sie genannt, gleich am ersten Tag. Und warum? Nur weil sie ein bisschen kleiner, dünner und blasser war als die anderen.

Mit denen würde sie kein Wort mehr reden, das stand fest. Lika spuckte ins Wasser und seufzte. Vorgestern waren Moni und Yüksel gekommen, ihre Freundinnen vom Leopold-Platz. Aber jeden Tag würden sie nicht kommen, dazu war der Weg viel zu weit. Wahrscheinlich würden sie überhaupt nur noch ein paar Mal kommen und dann gar nicht mehr. So war das ja immer, wenn eine wegzog. Und mit dem Fußballspielen in der Mädchenmannschaft vom 1. FC Leo war es auch vorbei.

Lika spürte, wie ihr die Tränen kamen, und biss sich auf die Lippen. Wenn weder die Mutter noch der Vater dabei war, lohnte sich die Heulerei nicht.

»Liiika!« Das war die Mutter. Lika konnte sie nicht sehen, aber hören. Langsam stand sie auf und stieg die Uferböschung hinauf. Als sie neben dem Kinderspielplatz die Straße betrat, war die Mutter schon wieder vom Balkon herunter. Sie hatte es wieder mal eilig, musste ins Geschäft. Nur unlustig ging Lika die Straße entlang. Wenn die Eltern nicht so weit weggezogen wären, müsste sich die Mutter nicht so beeilen. Aber sie hatte ja keiner gefragt; sie wurde ja nie gefragt.

Ein Junge auf einem Fahrrad überholte sie. Den hatte sie hier schon ein paar Mal gesehen. Seine Eltern waren Türken, ihnen gehörte die kleine Änderungsschneiderei an der Ecke Solinger Straße.

Der Junge grinste Lika beim Überholen an. Sie tippte sich an die Stirn – und wurde trotzdem rot. Immer wenn ein Junge sie so ansah, wurde sie rot. Sie wusste ja, wie klein und mickrig sie war. Jungens fanden ganz andere Mädchen toll.

Der Junge bremste, stieg vom Rad und blickte ihr entgegen.

Was wollte der von ihr? Lika ging noch langsamer als vorher.

Der Junge schob sich die Haare aus der Stirn. Er hatte rabenschwarzes Haar und dichte schwarze Augenbrauen. Außerdem war er sehr dunkelhäutig. Yüksel dagegen sah überhaupt nicht wie eine Türkin aus, hätte genauso gut eine Deutsche sein können.

»Du hast was verloren«, sagte der Junge und hielt Lika ihren roten Armreif hin.

Lika glühte noch mehr auf. Verdammt! Den verlor sie immer. Ihre Arme waren einfach zu dünn und die Handgelenke zu schmal.

»Danke!« Sie nahm den Armreif, hielt ihn in der Hand und wusste nicht, was sie weiter sagen sollte.

»Seid ihr neu in der Gegend?«

»Ja.« Lika ging langsam weiter.

Der Junge bestieg sein Rad und fuhr neben ihr her. »Und wo habt ihr vorher gewohnt?«

»Am Leo.«

»Wo?«

»Am Leopold-Platz.«

»Ach so!« Der Junge grinste wieder. »Hier ist's schöner, was?«

Lika schüttelte den Kopf. Das fehlte ihr gerade noch, dass der ihr den Leo schlecht machte.

»Ich heiße Bob.«

»Ich Angelika.«

Der Junge schwieg, nur sein Dauergrinsen hielt an.

»Ist Bob auch ein türkischer Name?«, fragte Lika da, nur um etwas zu sagen.

»Nee.« Der Junge lachte. Aber dann erklärte er: »Ich hab 'n Onkel in England, den rufen alle Bob – in Wirklichkeit heißt er Cabbar, genau wie ich.«

Lika blieb stehen. Sie war vor dem grün angestrichenen

Haus mit den Erkerfenstern und Balkons angelangt, in dem sie jetzt wohnte. Bob stieg vom Rad und sah sie an. »Haste mal Zeit?«

»Wozu?«

»Zum Reden.« Nun wurde Bob rot. Nicht mal sein Grinsen gelang ihm noch. Das nutzte Lika aus. »Und worüber?«, fragte sie uninteressiert.

»Über alles«, sagte Bob und dann, als sei ihm plötzlich etwas Wichtiges eingefallen: »Wir könnten auch mal ins Kino gehen.«

»Ich geh nicht gern ins Kino.« Lika gab sich lässig. »Die meisten Filme sind saublöd.«

»Waaas?«, staunte Bob. Aber bevor er noch was anderes sagen konnte, stand Likas Mutter zum zweiten Mal auf dem Balkon.

»Lika!«, rief sie. »Willste mich zur Weißglut bringen?«

Bob vergaß, was er sagen wollte, und fragte nur noch schnell: »Morgen?«

Lika nickte und wollte ins Haus hinein.

»Wann?«, rief Bob ihr nach.

Sie drehte sich um, sah ihn einen Moment lang an und flüsterte: »Um drei.« Um drei öffnete das Geschäft wieder, dann war Mutter längst weg.

»Und wo?«

»Am Steg«, flüsterte Lika und war auch schon im Hausflur verschwunden.

»Du spinnst wohl!« Die Mutter stand schon in der Tür. »Du weißt doch ganz genau, dass ich es eilig habe.«

»Tut mir Leid«, sagte Lika nur und ging an der Mutter vorbei in die Küche. Das mit dem »Tut mir Leid« war ein Trick, den die Mutter selbst erfunden hatte. »Jeder Mensch macht

Fehler«, hatte sie mal gesagt. »Wenn er sich dafür entschuldigt, ist alles in Ordnung.«

Dass sie das mal gesagt hatte, bedauerte die Mutter schon lange, denn die meisten Fehler machten der Vater und Lika. Und nun nahmen die beiden sie ständig beim Wort, sagten immer nur »Tut mir Leid« und erwarteten von ihr, dass sie nicht nachtragend war. Die Mutter wusste, dass sie was falsch gemacht hatte, und lachte immer seltener über diesen Trick.

Auch jetzt nicht. Sie sah Lika nur kopfschüttelnd an. »Du musst allein essen, ich schaffe es nicht mehr.«

Lika sah in den Topf. Suppe! Kartoffelsuppe. Die mochte sie und die mochte auch die Mutter. »Tut mir Leid«, sagte sie wieder. Doch diesmal klang es echt.

»Ach was!« Die Mutter setzte sich auf die Küchenbank und zog sich ihre Straßenschuhe an. »Ich kauf mir irgendwo 'ne Currywurst.«

Currywurst war auch nicht schlecht. Aber Lika wusste, wie die Mutter die Currywurst essen würde: im Vorbeiflug an irgendeiner Straßenecke. Und im Geschäft würde sie sich zur *Beruhigung* erst mal einen Kaffee kochen.

Die Mutter stand auf und küsste Lika auf die Wange. »Ich muss los, der Schröder meckert sonst wieder.«

Der Schröder war der Inhaber von *Schröders Welt der Dame,* einem Geschäft mit lauter schicken Klamotten. Vorher hatte die Mutter in einem Jeansladen gearbeitet, aber der hatte Pleite gemacht. Sie war froh, dass der Schröder sie genommen hatte, doch sie mochte ihn nicht besonders. Der Schröder sei zu den Kunden oft so übertrieben höflich, dass sie manchmal Angst habe, in seiner Schleimspur auszurutschen, sagte sie. Seine Angestellten behandle er dafür wie Leibeigene.

Lika selber fand Herrn Schröder schlicht und einfach feucht. Seine ewig glänzenden Haare sahen immer nass aus und unter jeder Achsel roch er anders – behauptete sie. Aber dass Mutters Chef immer nach irgendwelchen Parfüms roch, war eine Tatsache. Er meinte wahrscheinlich, der Geruch seiner Duftwässerchen steigere den Umsatz seines Ladens. Die Mutter arbeitete nicht gern in der *Welt der Dame*, aber so schnell fand sie keine andere Stelle. Und mitarbeiten musste sie, sie sparten für ein Häuschen im Grünen.

Lika wartete, bis die Tür zuflog, dann griff sie in die Suppe, nahm sich ein Würstchen heraus und ging auf den Balkon. Die Mutter verließ gerade das Haus und sah zu ihr hoch. Lika winkte mit dem Würstchen, die Mutter lachte. Dann beeilte sie sich, zu ihrem klapprigen Steinzeitkäfer zu kommen. Mit dem neuen Opel fuhr der Vater zur Arbeit. Er war Abteilungsleiter bei der *Wohltat-Versicherung* und musste manchmal Geschäftsfreunde zum Flughafen bringen.

Lika biss in ihr Würstchen und lächelte. Sie war stolz auf die Mutter, die niemals wie vierunddreißig aussah, eher wie vierundzwanzig, und die immer noch so rumlief wie damals im Jeansladen. Nur wenn sie in die Damenwelt fuhr, zog sie was anderes an. In Jeans dürfe man bei Herrn Schröder nicht mal das Klo putzen, hatte sie mal gesagt. Sie hatte dabei gelacht, aber in Wahrheit hatte sie auch das geärgert.

Der Käfer knatterte vorbei. Lika winkte noch mal mit dem Wurstrest, dann bog die Mutter um die Ecke und war weg. Lika blieb auf dem Balkon stehen. Da war es wieder, dieses blöde Einsamkeitsgefühl. Jeden Nachmittag spürte sie es nun. Am Leo war es nicht so schlimm gewesen.

Sie blickte auf die Spree hinaus, die um die Wullenweberstraße einen Bogen machte. Links endete die Straße am Steg, rechts war sie am Wasser zu Ende. Gegenüberliegende Häuser, die ihr die Sicht versperrten, gab es hier nicht. Zwischen der Straße und dem Fluss waren nur der Sportplatz und die Kinderspielecke, also ziemlich viel Grün. Es war hier wirklich schöner als am Leo, aber dafür auch langweiliger. Was sollte sie denn tun, den ganzen Tag? Zusehen, wie auf dem Sportplatz hinter dem Fußball hergewetzt wurde? Oder sich auf den Spielplatz hocken, zu den kleinen Krümeln und ihren Sandkuchen?

Bob fiel ihr ein. Komisch, ein Türke, der Bob genannt wurde. Ob er noch irgendwo zu sehen war? Sie blickte wieder links und rechts die Straße hinunter. Doch der Junge war nirgends mehr zu sehen. Langsam ging sie in die Küche zurück und füllte sich Suppe in den Teller.

Was dieser Bob wohl von ihr wollte? – Der sollte sich bloß nichts einbilden!

Aber vielleicht wollte er ja wirklich nur mit ihr reden. So wie Mutters erster Freund, von dem sie mal erzählt hatte. Der hätte so lange geredet, bis sie den Vater kennen gelernt hätte. Dann hätte es ihm die Sprache verschlagen. Lika bekam plötzlich richtig gute Laune und wollte gerade das Radio anstellen, als das Telefon klingelte. Sie seufzte. Das war der Vater. Das kannte sie nun schon: Er wartete, bis die Mutter aus dem Haus war, und rief sie an, um ihr zu sagen, dass sie der Mutter ausrichten solle, dass es bei ihm mal wieder spät werde.

»Schmidt.«

»Hallo Spinnekiks!«, meldete sich der Vater. »Alles klar?«

Spinnekiks, so hatte der Vater sie früher immer genannt, als sie noch ganz klein war. Sie war ja damals schon so zierlich gewesen. Wenn er sie jetzt so nannte, war das ein Zeichen dafür, dass es *sehr* spät werden würde.

»Alles klar«, sagte Lika. »Alles wun-der-bar!«

»Komm, komm!« Der Vater ließ sich auf nichts ein. »Es soll Leute geben, denen es wesentlich schlechter geht als meinem Fräulein Tochter.«

»Die wohnen weit weg.« Lika wurde ärgerlich. Sie hatte keine Lust, sich vom Vater auch noch auf den Arm nehmen zu lassen.

Der Vater schwieg eine Sekunde lang, dann wurde er geschäftsmäßig. Entweder war Frau Radke in sein Zimmer getreten, seine Sekretärin, oder er tat nur so, als ob jemand in sein Zimmer gekommen wäre, um nicht weiter normal mit ihr reden zu müssen. Einer seiner ältesten Tricks. Den wandte er auch der Mutter gegenüber oft an.

»Also nun hör mir mal gut zu«, bat er. »Heute Abend wird's ein bisschen später werden. Sag Mutter ...«

»Mach ich.«

Lika legte den Hörer auf die Gabel zurück. Vater würde später kommen, sie würde es Mutter ausrichten. Ob er da nun mit irgendwelchen Geschäftsfreunden aus Hamburg oder München essen gehen musste oder zu viel Arbeit auf seinem Tisch lag, was spielte das für eine Rolle?

Lika hatte den Löffel mit der Suppe noch nicht im Mund, da schrillte das Telefon erneut – lauter, drängender und drohender als vorhin. Jedenfalls kam ihr das so vor.

»Schmidt.«

»Ja, sag mal!«, schimpfte der Vater. »Was soll denn das? Ist dir der Hörer aus der Hand gefallen?«

»Meine Suppe wird kalt.«

»Deine ... was? Ja, haste denn noch nicht gegessen?«

»Ich esse jetzt.«

»So? Hhm ... na dann entschuldige die Störung. Also ... wie

gesagt, sag Mutter, es wird später. Eine Konferenz ... leider nicht zu verschieben.«

»Hhm«, machte Lika nur.

»Mein Gott!«, stöhnte der Vater. »Ich kann ja nichts dafür. Ich verdien mein Geld ja nicht für mich allein. Später ...«

»Meine Suppe!«

»Lika!« Der Vater musste sich beherrschen, um nicht wütend zu werden. Aber dann sagte er nur: »Gut! Iss erst mal. Und vergiss nicht, Mutter Bescheid zu sagen.« Damit legte er auf. Lika behielt den Hörer noch in der Hand und stellte sich vor, wie der Vater jetzt dasaß, unglücklich und traurig und sauer dazu, weil ihn niemand verstand. »Gute Nacht«, sagte sie leise in den Hörer hinein, bevor sie ebenfalls auflegte. Sie würde den Vater ja heute nicht mehr zu sehen bekommen. Außerdem wusste sie nun, dass er wirklich seinen Trick angewandt hatte. Wenn Frau Radke im Zimmer gewesen wäre, hätte er nicht so geschimpft.

Die Suppe war inzwischen wirklich kalt geworden. Normalerweise machte das Lika nicht viel aus – kalte Kartoffelsuppe schmeckte ihr auch –, aber heute schob sie sie weg. Mutters ewiges Abhauen in die Damenwelt, Vaters ständige Anrufe – sie hielt das nicht mehr lange aus.

Häuschen im Grünen! Wozu denn? Sie wohnten ja nun schon in einem grünen Haus. Und rund um die Wulle war auch viel Grün. Er wolle »was Eigenes«, wegen der Sicherheit, sagte der Vater immer. Das wäre im Alter sehr wichtig. Und sie würde das alles mal erben.

Erben – so 'n Quatsch! Sie würde nie in einem Häuschen im Grünen wohnen wollen. Höchstens, wenn es mitten auf'm Leo stand. Aber für den Leopold-Platz hatte der Vater sich ja geschämt. Arme-Leute-Gegend hatte er dazu gesagt. Und die

Mutter hatte nicht widersprochen, obwohl sie selber auch nicht gern aus der alten Gegend weggezogen war.

2:1 gegen den Vater stand es und trotzdem taten sie immer, was er wollte. Als Fußballverein wäre er längst abgestiegen, bei ihnen blieb er ewig Deutscher Meister.

Matthias Loerke, DDR
Der Junge unter den Palmen
Jitter im Wasser
Ein Probelauf

Der nächste Tag begann mit Sonnenschein. Und die Sonne schien sowohl in Matzes als auch in Likas Zimmer. Während aber Lika gleich aufstand, um den Vater wenigstens morgens kurz zu sehen, blieb Matze noch liegen. Er wollte noch ein bisschen an seine Idee denken. Sie hatte ihn fast die ganze Nacht nicht schlafen lassen, obwohl es ja eigentlich eher Pipuschs Idee war.

Erst hatte er noch stundenlang in den »Kindern des Kapitän Grant« gelesen, einem Buch, in dem es auch um eine Flaschenpost ging, dann hatte er noch lange über das Buch nachgedacht. Er hatte es voriges Jahr schon einmal gelesen, aber in dieser Nacht mit einem ganz anderen Interesse.

Die Flaschenpost, um die es in dem Buch ging, stammte von dem verschollenen Kapitän Grant. Der Lord, der die Flaschenpost fand, suchte nach diesem Kapitän und nahm dessen Kinder mit auf die Reise. Um die ganze Welt führte sie ihre Suche, tolle Abenteuer erlebten sie, wilde Tiere begegneten ihnen, und einmal rettete ihnen ein Vulkanausbruch das Leben. Zum Schluss aber wurde der Kapitän gefunden.

Als Matze das Buch wieder weggelegt hatte, war er unzufrieden gewesen. Da die Flaschenpost im Magen eines Hais gefunden wurde, hatte er über den Strömungsverlauf in den Weltmeeren nicht viel erfahren können. Gerade darum aber war es ihm gegangen. Er hatte wissen wollen, wo eine Flaschenpost hintrieb, die bei Hamburg ins Meer gelangte.

Doch zum Schluss war ihm das egal gewesen. Wenn seine Flasche nicht nach Amerika trieb, trieb sie eben nach Afrika oder Australien. Oder wenigstens bis England oder Norwegen. Das war auch weit genug. Dass er eine Flaschenpost losschicken würde, stand jedenfalls fest. Er würde es niemand sagen, weil er nicht wollte, dass die anderen ihn für einen Spinner hielten, aber er würde es tun. Und zwar heute noch.

Im Flur wurde es laut, die Mutter und der Vater stritten wieder. Matze stand auf, setzte sich an seinen Schreibtisch und nahm ein leeres Blatt Papier her. Der Käpt'n in dem Buch hatte seine Flaschenpost in drei Sprachen verfasst, denn er wusste ja nicht, wer sie finden würde. Also würde er das auch tun, und zwar in Deutsch, Englisch und Russisch. Französisch und Spanisch konnte er leider nicht.

Zuerst in Deutsch. *Mein Name ist Matthias Loerke,* schrieb Matze. *Ich wohne in der Neuen Krugallee 72, DDR – 1193 Berlin. Ich bin fast zwölf Jahre alt und gehe in die sechste Klasse. Wer diese Flaschenpost findet, soll mir schreiben. Ich schreibe garantiert zurück.* Er überlegte, was er noch hinzufügen könnte, aber es fiel ihm nichts Besseres ein als: *Meine Freunde nennen mich Matze. Viele Grüße* und dann feierlich *Matthias Loerke, DDR.*

So, jetzt das Ganze auf Englisch: *My name is …*

»Hast du deine Schularbeiten nicht gemacht?« Die Mutter stand in der Tür. Sie war noch nicht angezogen, hatte diese

Woche ja Spätschicht, trug nur ihren Bademantel über dem Nachthemd.

Matze schüttelte den Kopf. Die Mutter sollte wieder gehen. Er wollte allein sein.

»Was schreibst du denn da?« Die Mutter kam näher. Rasch legte Matze seine Schulhefte über den Block.

Die Mutter lachte. »Wird das etwa 'n Liebesbrief?«

»Ph!«, machte Matze – und wartete. Die Mutter wurde wieder ernst. »Sind wohl doch Schularbeiten?«

»Nein!«, stöhnte Matze. Es war immer dasselbe. Wenn die Mutter Frühschicht hatte, hatte sie Angst, er komme morgens nicht rechtzeitig zur Schule, weil sie dann immer schon um fünf aus dem Haus musste. Hatte sie aber Spätschicht und konnte ihn nicht kontrollieren, glaubte sie, er mache keine Schularbeiten. Und am schlimmsten war es, wenn sie Streit mit dem Vater hatte. Dann war sie besonders misstrauisch.

»Warum zeigst du mir nicht, was du da schreibst?« Die Mutter zog die Stirn kraus. Sie mochte keine Geheimnisse; Dinge, die hinter ihrem Rücken geschahen, machten sie nervös.

»Weil's eben doch 'n Liebesbrief ist«, log Matze und tat, als ob er sich schämte. Das war das Beste, das glaubte sie ihm, weil sie das ja schon vermutet hatte.

Die Mutter fuhr ihm durch das Haar und lachte wieder. »Na also! Kannst du mir doch sagen. Ist doch ganz normal in deinem Alter.«

»Hhm.« Matze wartete darauf, dass die Mutter wieder ging. Er wusste, dass sie jetzt stolz auf ihre mütterliche Großzügigkeit war, und er sah ihr an, dass sie zu gern gewusst hätte, *wem* er Liebesbriefe schrieb. Und da kam die Frage auch schon. »Ein Mädchen aus deiner Klasse?«

»Hhm.«

»Etwa die Ilsa?«

Die Mutter mochte Ilsa nicht, schon den Namen fand sie blöd. Entweder Ilse oder Elsa, sagte sie, Ilsa wäre überhaupt kein Name. Vor allen Dingen aber war Ilsa ihr zu kess, schminkte sich manchmal im Gesicht und färbte sich die Fingernägel schwarz.

»Nein.« Matze seufzte.

»Manuela?« Mutters Stimme bekam einen feierlichen Klang. Die nette Manuela, die eines Tages Leistungssportlerin werden wollte und die 100 m schon jetzt schneller als alle Jungen lief, die mochte sie.

»Nein.« Es reichte Matze nun.

»Nun gut. Wenn du kein Vertrauen zu mir hast ...« Ein bisschen beleidigt ging die Mutter zur Tür. Aber sie wandte sich, schon die Klinke in der Hand, noch einmal um. »Mach nicht zu lange. Vater ist gleich fertig. Dann musst du ins Bad.«

»Hhm«, murmelte Matze noch einmal, dann schrieb er weiter. *My name is Matthias Loerke ...*

Englisch war kein großes Problem, Englisch war leicht. *Best regards – Matthias Loerke, GDR.* Und damit der Finder irgendwo in der Welt – die Flasche konnte ja bis zur entlegensten asiatischen Insel hintreiben – auch wusste, was GDR bedeutete, schrieb er dahinter *German Democratic Republic.* Und auch in der deutschen Fassung fügte er hinter *Matthias Loerke, DDR* noch *Deutsche Demokratische Republik* hinzu.

Jetzt auf Russisch. *Moja imja Matthias Loerke. Ja schiwu ...*, schrieb er in kyrillischen Buchstaben unter den englischen Text, dann klopfte es: der Vater. »Los! Raus aus den Federn. Ist höchste Zeit.«

»Gleich!«, schrie Matze und verstaute den Zettel für die Flaschenpost in seiner Mappe. Dann ging er ins Bad, hockte sich aufs Klo und hatte erst mal wieder seine Ruhe. Ein Palmenstrand, irgendwo auf der weiten Welt. Ein Junge, etwa so alt wie er, nur viel dunkler, irgendein Südländer, sitzt am Wasser. Die Wellen schlagen an den Strand, immer wieder, immer wieder. Der Junge verzieht keine Miene, stolz schaut er aufs Meer hinaus ... Südländer wirken ja immer so stolz ... Da! Der Junge springt auf. Er hat die Flaschenpost entdeckt, läuft ins Wasser, holt sie sich, öffnet die Flasche ...

Die Flasche! Das war auch so ein Problem. Was für eine Flasche sollte er nehmen? Eine von Vaters leeren Weinflaschen? Aber hielt einer von den heutigen Korken eine so weite Reise überhaupt aus? Die bröckelten doch meistens schon, wenn man sie nur anguckte. Bestimmt lösten sie sich im Salzwasser auf ...

»Matthias!« Die Mutter klopfte. Das machte sie jeden Morgen. Schon wie automatisch. Und er antwortete auch so: »Ja doch! Bin gleich fertig.«

Er stand auf, spülte, begann mit dem Zähneputzen.

Opa Haase hatte im Keller noch so ein paar alte Flaschen mit Bügelverschluss stehen. *Brauerei Käding* stand darauf. Die Bügel waren aus Metall und die Stöpsel aus Porzellan, die konnten sich nicht im Wasser auflösen. Wenn Opa Haase ihm eine Flasche davon schenkte, war das Problem gelöst. Und das konnte er ruhig mal tun, wo Pipusch und er ihm so oft die Kohlen aus dem Keller holten oder für ihn in die Kaufhalle gingen.

Als Matze endlich aus dem Bad kam, hatte der Vater schon gefrühstückt. Er sah aber noch müde aus und er blickte die Mutter nicht an. Als er ging, nickte er nur Matze kurz zu.

»Habt ihr euch gestritten?«

»Ach!« Die Mutter goss sich Kaffee ein und setzte sich zu

Matze. »Ich soll im Herbst zu einem Weiterbildungslehrgang nach Leipzig. Drei Wochen dauert der. Da kann ich natürlich nur am Wochenende nach Hause kommen. Er will das nicht. Ich soll auch an die Familie denken, sagt er. An dich. Als ob ihr beide nicht auch mal ohne mich auskommen würdet.«

Matze trank von seinem Tee und schwieg. Er konnte die Mutter verstehen, aber er konnte auch den Vater verstehen. Es war ja nicht Mutters erster Lehrgang. Seit sie im Elektroapparatewerk arbeitete, besuchte sie laufend irgendwelche Lehrgänge. Nun war sie längst Meisterin und es reichte ihr immer noch nicht. Und der Vater kutschierte seine S-Bahn von Königs Wusterhausen bis Bernau und zurück und nichts veränderte sich. Außer, dass er jedes Mal, wenn die Mutter einen neuen Lehrgang besuchte, Ärger mit seinen Kollegen bekam. Weil er dann eine Zeit lang nur in der Frühschicht fahren konnte, damit nachmittags und nachts jemand zu Hause war. Darauf bestand die Mutter. Seinetwegen! Wer Kinder habe, der habe auch eine Verantwortung, sagte sie.

»Das mit den Liebesbriefen«, die Mutter sah Matze prüfend an, »das solltest du nicht übertreiben. Ich meine, du bist ja noch nicht mal zwölf.«

Erst *In deinem Alter ist das normal*, dann *Du bist ja noch nicht mal zwölf.* Die Mutter änderte ihre Meinung alle halbe Stunde. Matze stand auf, griff sich seine Mappe und küsste die Mutter zum Abschied. Dann lief er los.

Er hatte es nicht weit zur Schule. Dreimal umfallen und er war da, sagte der Vater immer. Mit Pipusch neben sich aber musste er mindestens sechsmal umfallen. Pipusch war sonst ein Dauerläufer; aber wenn es zur Schule ging, wurde er alle zehn Meter langsamer. Er sprach von diesem und jenem und sorgte sich ständig, was wohl heute in Mathe, Deutsch, Russisch, Englisch oder Geschichte drankommen könnte. Ohne Pipusch zur Schule zu gehen aber war auch unmöglich. Wenn Matze aus der Haustür trat, stand Pipusch schon an der Ecke Dammweg und grinste ihm entgegen. Wie ein siamesischer Zwilling hing der manchmal an ihm dran.

Doch an diesem Tag ließ Matze sich nicht aufhalten. Er ging so schnell, dass Pipusch richtig aus der Puste kam. »Was 'n los?«, rief er. »Wir haben doch noch Zeit.«

Matze antwortete nicht. Er wollte, bevor die Stunde begann, seinen Text fertig bekommen, damit er nach der Schule gleich zu Opa Haase laufen konnte.

Und er schaffte es. Rechtzeitig bevor die Stunde begann, hatte er seinen Text fertig. *Drushba* hatte er druntergeschrieben: Freundschaft. Was *viele Grüße* auf Russisch hieß, wusste er nicht. Das hatten sie noch nicht durchgenommen. Und fragen wollte er nicht. *Drushba! Matthias Loerke, GDR – Germanskaja Demokratischeskaja Respublika.* Das klang gut und sah gut aus. Jetzt musste er nur noch warten, bis der Unterricht zu Ende war.

Zuerst hatten sie Mathe, Bruchrechnen. Da wollte er aufpassen, da hatte er es nötig, aber es gelang ihm nicht. Immer wieder sah er den südländischen Jungen vor sich, sah ihn am Strand sitzen, auf seine Flaschenpost warten. Was war das für ein Junge, den er sich da vorstellte? War es ein Indio irgendwo in Südamerika? Oder ein Inder? Ein Araber? Ein Südseeinsulaner?

Nach Mathe kam eine Doppelstunde Deutsch. Da brauchte er nicht aufzupassen, da hatte er es nicht nötig – und da erwischte es ihn.

Frau Merz war enttäuscht. »Ist dir nicht gut?« Sie blickte ihn besorgt an.

Matze nickte und hatte wieder seine Ruhe. Frau Merz war es nicht gewohnt, dass er eine Frage nicht beantworten konnte. Es hätte sie aus dem Gleichgewicht gebracht, wenn ihre Einschätzung der Klasse nicht mehr stimmte. Wenn ihm nicht gut war, war sie zufrieden.

Nach Deutsch noch Physik und Musik. Die Hanke studierte mit ihnen ein neues Lied ein. Das ging noch, nur Notenkunde war Matze ein Greuel. Beim Liedersingen machte er den Mund auf und wieder zu und dachte an was ganz anderes. Frau Hanke kümmerte sich sowieso nur um die guten Sänger, von denen Pipusch einer der Besten war. Seine hohe Stimme war das Einzige, womit er in der Schule glänzen konnte.

Endlich das Klingelzeichen, das die fünfte Stunde abläutete. So schnell, wie Matze aus der Klasse war, konnte Pipusch nicht mal gucken. »Wo willste denn hin?«, schrie er Matze nach. Doch Matze antwortete nicht. Sagte er Pipusch, wo er hin wollte, hing der sich gleich wieder an ihn dran.

Opa Haase wohnte im Dammweg, im vierten Stock. Aber bis zu seinem Keller waren es fünf Treppen, und mit vierundsiebzig und Ischias im Kreuz und Rheuma in den Gelenken war der Gang in den Keller für ihn inzwischen ein zu großes Abenteuer. »Ick bin schon froh, wenn ick alle Woche mal bis vor die Haustür komme, bevor ick endjültig in der Kiste liege«, sagte er oft und war der Schule dankbar dafür, dass sie Matze und Pipusch zu seinen Paten bestimmt hatte. Und Matze und Pipusch freuten sich, dass sie ausgerechnet Opa Haase zugeteilt worden waren und nicht irgend so einem Meckerkopp.

Fritz Haase. Matze drückte den Klingelknopf und wartete. Manchmal dauerte es eine Weile, bis der Summer ertönte. Doch an diesem Tag ging es schnell. Matze stieß die Tür auf und lief in den vierten Stock hoch. Opa Haase sah ihm schon entgegen. »Du?«, wunderte er sich. »Du warst doch vorjestern erst hier.«

Opa Haase stand ziemlich tief gebeugt. Er bekam den Rücken nicht mehr gerade. Und so wirkte er noch kleiner, als er ohnehin war, musste direkt zu Matze aufblicken.

»Ich hab gerade Zeit«, sagte Matze. Das war natürlich gelogen. Wenn die Mutter Spätschicht hatte, hatte er nie Zeit. Dann wartete sie mit dem Mittagessen auf ihn, weil sie mit dem Bus mit musste, der um halb zwei fuhr.

»Ja, zur Kaufhalle war ja heute die Zieseln schon.« Opa Haase ging in seine Küche, wo er seine Zeitung auf dem Tisch ausgebreitet hatte. »Dann setz dich mal zu mir, ick mach uns 'n Tee. Musst ja nicht immer wat tun, wenn de bei mir bist.«

Dass er nicht in die Kaufhalle musste, war gut, aber das mit dem Tee war nicht gut. »So viel Zeit habe ich nun wieder nicht«, wehrte Matze ab. »Brauchen Sie nicht was aus'm Keller?«

»Aus'm Keller?« Opa Haase überlegte. »Kartoffeln kannste mir hochholen. Hab zwar noch welche oben, aber die reichen nicht mehr lange.«

Matze griff sich den Kellerschlüssel und Opa Haases Kartoffeleimer und war schon weg. Den Eimer mit den Kartoffeln in der einen Hand, eine der alten Flaschen mit Bügelverschluss in der anderen, hastete er die Treppe wieder hoch.

»Wat willste denn damit?« Opa Haase sah von seiner Zeitung auf und zeigte auf die verstaubte Flasche.

»Die ... die hab ick jesehen, die jefällt mir, die kann ick jebrauchen.«

Die Mutter mochte es nicht, wenn Matze berlinerte. Aber mit Opa Haase ging das nicht anders. Matze hatte das Gefühl, nicht wirklich ehrlich zu sein, wenn er mit Opa Haase Hochdeutsch redete.

»Und wozu?«

Matze druckste herum, bis er schließlich mit der Sprache herausrückte und von seiner Idee erzählte.

»Kiek mal eener an! Jar nich doof, deine Idee.« Opa Haase nickte begeistert. »Leider jeht se nich.«

»Und warum nicht?«

»Wejen der Jrenze«, antwortete Opa Haase. »Deine Flasche muss ja ooch durch West-Berlin. Und da kommt se nich durch. Da sind Jitter im Wasser.«

Gitter im Wasser? Matze guckte Opa Haase misstrauisch an. Wenn es um die Politik ging, sagte Opa Haase oft Sachen, die er nicht verstand. Manchmal sprach er fast wie die im Westfernsehen, so, als gehörte er eigentlich gar nicht hierher, sondern nach drüben.

»Na ja, damit keener abhaut, verstehste? Früher sind se doch immer da durch. Jeschwommen sind se, mit Dampfer sind se rüberjemacht. Nee, nee, ob's dir nu jefällt oder nich, die Mauer jeht ooch durchs Wasser.«

Mauer – so wurde die Grenze im Westen genannt; die Eltern sprachen immer nur von der Grenze. Aber die Grenze bestand aus einer Mauer, im Westfernsehen wurde sie oft gezeigt – im Osten war sie grau und im Westen bunt angemalt. »Und die Zillen?«, fragte Matze. »Jestern hab ick eene jesehen, die kam aus Holland. Wie kommen die denn da durch, wenn Jitter im Wasser sind?«

»Vielleicht ziehen se für die die Jitter hoch«, überlegte Opa Haase laut.

Matze fasste wieder Mut. Was Opa Haase da redete, musste nicht stimmen. Alles durfte man ihm nicht glauben, das hatte er schon mitbekommen. »Darf ick die Flasche trotzdem haben?«

»Klar!« Opa Haase nickte. »Hab ja 'n janzen Keller voll davon.«

Und dann schmunzelte er und bat: »Sag mir Bescheid, wenn deine Flasche in Amerika anjekommen is. Wenn ick denn noch lebe.«

»Abgemacht!« Matze war schon wieder im Treppenhaus. Vielleicht kam er ja doch noch rechtzeitig zum Mittagessen. Er schaffte es nicht. Als er vor der Wohnungstür ankam, hatte die Mutter schon den Schlüssel im Schloss. »Ja, sag mal! Wo bleibst du denn?«, schimpfte sie. »Ich muss doch zur Schicht.«

»Ich ... ich ...«, japste Matze.

»Hast du nachsitzen müssen?«

Matze nickte. Das war wie mit dem Liebesbrief. Nicht widersprechen war das Einfachste.

»Und warum?«

»Ich ... ich hab mit Pipusch Käsekästchen gespielt.«

»Käsekästchen?« Die Mutter schüttelte den Kopf und sah auf ihre Armbanduhr. Zu Matzes Glück hatte sie es sehr eilig. Deshalb schimpfte sie nicht lange, sondern sagte nur: »So was macht man ja auch nicht im Unterricht.« Und: »Ich muss jetzt los, ist höchste Zeit. Ich hab dir die Bouletten, die Kartoffeln und den Rotkohl in einen Topf getan. Iss, solange es noch warm ist.«

»Ja«, sagte Matze. Er sah der Mutter noch einen Augenblick lang nach, dann schloss er die Tür, ging in die Küche, nahm seine Flasche aus der Mappe und spülte sie unter fließendem Wasser sauber. So verstaubt konnte er sie nicht auf die Reise schicken.

Als die Flasche sauber war, holte er den Fön aus dem Badezimmer und trocknete sie auch von innen, damit sein Brief nicht nass wurde. Danach setzte er sich hin und las noch mal den Text. Er überlegte, ob er noch irgendeinen kernigen Zusatz drunterschreiben sollte, zum Beispiel *Gott schütze dich vor Sturm und Wind und Menschen, die Halunken sind,* aber dann ließ er das sein. Der Spruch hing bei Opa Haase überm Sofa, er war noch kein Opa.

Feierlich rollte Matze seinen Zettel zusammen, schob ihn in die Flasche und verschloss sie. Erst danach bekam er Hunger. Er sah in den Topf und stellte ihn vor sich auf den Tisch. Er aß oft gleich aus dem Topf, das ging am schnellsten. Mitten im Essen aber hielt er inne, nahm seine Flasche und stürzte damit ins Badezimmer. Er ließ Wasser in die Wanne laufen, legte die Flasche hinein und bewegte die Hände im Wasser hin und her, bis immer größere Wellen entstanden. Dann trocknete er die Flasche mit einem Handtuch ab, öffnete sie und fingerte mit einer Pinzette den Zettel wieder heraus.

Er war trocken geblieben, die Flasche schloss gut. Es war also alles bestens, gleich nach dem Essen konnte er sie in die Spree werfen. Zufrieden setzte Matze sich wieder hinter seinen Topf. Doch kaum hatte er den ersten Bissen im Mund, öffnete er die Flasche erneut, fingerte den Zettel ein zweites Mal heraus und wickelte ihn in eine Plastiktüte, bevor er ihn dann wieder in die Flasche zurückbugsierte.

Er überlegte, ob er noch was tun konnte, um seine Post gegen das Wasser abzusichern, aber es fiel ihm nichts mehr ein. Nur ansehen konnte er seine Flasche noch. Und das tat er, während er hastig die zweite Boulette aß. Er hatte nun keine Zeit mehr, er wollte an die Spree – es sollte endlich losgehen.

Cabbar und Bob
Quietschend öffnen sich die Gräber
Eine Rettungsaktion
Wimbledon – Pimbledon

Die Tage vergingen. Matze hatte seine Flasche längst in die Spree geworfen, saß oft an der Uferböschung und träumte ihr nach. Und Lika saß auch oft am Fluss, meistens zusammen mit Bob. Dann lag sein Fahrrad hinter ihnen und er erzählte ihr was. Fast immer ging es dabei um Filme, solche, die er früher mal gesehen hatte, und andere, die er gerade erst entdeckt hatte.

Lika hatte inzwischen mitbekommen, dass Bob wirklich nur reden wollte. Er brauchte jemanden, der ihm zuhörte. Sein Vater, seine Mutter, der große Bruder und seine beiden Schwestern hockten bis zum späten Abend in der Schneiderei, keiner hatte tagsüber Zeit für ihn. Deshalb ging er auch so viel ins Kino. Türkische Jungen in seinem Alter gab es hier nicht, und die meisten deutschen Jungen kannte er zwar aus der Schule, aber an den Nachmittagen blieben sie unter sich.

Lika wusste: dass Bob ausgerechnet sie angesprochen hatte, war keine Ehre. Bei ihr, Lika, der Sprotte, hatte er gewagt, was er sich bei anderen Mädchen nicht traute. Aber sie nahm ihm das nicht übel; an seiner Stelle hätte sie es genauso gemacht. Und inzwischen mochte er sie ja wirklich. Das sah sie ihm an, das konnte er nicht verbergen.

Und noch etwas hatte Lika inzwischen herausgefunden: Bob wurde nicht nur wegen seinem Onkel in England Bob gerufen. Der Hintergrund war ein anderer: Seine Eltern wollten nicht, dass jeder, der seinen Namen hörte, gleich an einen Türken dachte. Bob war gut in der Schule und sollte später mal studieren. Die ganze Familie wollte das. Ein Bob Sarper hatte es nach dem Studium leichter, als ein Cabbar Sarper; Bob Sarper klang international, Cabbar Sarper klang türkisch.

Lika gefiel Cabbar besser als Bob, aber das sagte sie nicht. Und sie fragte Bob auch nicht nach seiner Heimat. Nur was er ihr von sich aus erzählt hatte, wusste sie. Dass er in Berlin geboren war, genau wie sie, und dass er am Mariannenplatz aufgewachsen war. Weil das dort aber eine reine Türkengegend war, waren seine Eltern bald wieder weggezogen. Sie wollten dort leben, wo auch andere Leute wohnten.

Bob war bisher nur ein einziges Mal in der Türkei gewesen, konnte sich aber nicht mehr daran erinnern. Er war damals noch sehr klein gewesen. Und er wollte auch nicht wieder hin. »Was soll ich da?«, hatte er mal zu Lika gesagt. »Ich bin da fremd.«

Es war seltsam, manchmal stritten Lika und Bob sich, welche Stadt schöner war – Hamburg oder Berlin, München oder Berlin, Stuttgart oder Berlin, Köln oder Berlin. Lika war dann immer sehr kritisch, fand alle anderen Städte toll, nur nicht Berlin. Bob verteidigte seine Heimatstadt. Keine Stadt sei schöner als Berlin, schimpfte er sie aus, und als Beweis dafür führte er den Wannsee an, den Grunewald, den Kurfürstendamm, den Zoo und die vielen Kinos, die es in Berlin gab. Seiner Meinung nach gehörten zu einer schönen Stadt auch viele schöne Kinos. Und welche Stadt kam da wohl mit Berlin mit?

Lika kannte die anderen Städte gar nicht – außer Köln, da war sie mal zwei Tage lang gewesen. Sie wusste nur, wie sie im Fernsehen aussahen. Aber sie begriff, dass es für Bob etwas ganz anderes bedeutete, ein Berliner zu sein, als für sie.

Dann kam der erste Sonntag im Juni. Aber dieser Sonntag hieß nicht nur so, sondern war ein richtiger warmer Sonnentag – so warm, dass die Spree am Hansa-Ufer noch ein bisschen mehr stank als sonst. Lika lag unter der Trauerweide auf dem Bauch, stützte den Kopf in die Hände und sah auf den Fluss hinaus. Bob hockte neben ihr und erzählte ihr den neuesten Gruselfilm, den er gesehen hatte. Sie hatten beide viel Zeit: Bobs Familie arbeitete – ob Sonntag oder nicht, spielte da keine Rolle –, Likas Mutter schlief sich die Anstrengungen der Woche fort und ihr Vater sah im Fernsehen Tennis: Wimbledon. Selber spielte er zwar nicht Tennis, aber im Fernsehen fieberte er mit.

Lika stellte sich all das, was Bob ihr schilderte, in den buntesten Farben vor und freute sich jedes Mal, wenn ihr ein neuer Gänseschauer über den Rücken lief. Im hellen Sonnenschein gruselte sie sich gern. Im dunklen Treppenhaus war das was anderes.

Der Film war aber auch zum Feuchte-Hände-Kriegen. Wieder lebendig gewordene Leichen kamen darin vor, die in Wahrheit doch tot waren. Sie hatten ihre Gräber nur verlassen, um sich für ein Unrecht zu rächen, das vor über zweihundert Jahren an ihnen begangen worden war. Und das taten sie, ohne lange zu überlegen, ob derjenige, den sie gerade erwürgten, zerhackten oder aufspießten, mitschuldig war an ihrem Unglück oder nicht. Sie hassten alle lebendigen Menschen.

Eine Friedhofsbesatzung nach der anderen machte sich auf den Weg. Quietschend öffneten sich Gräber und Sargdeckel, dumpf hallten schwere Schritte durch die Nacht, heiser krächzten die Käuzchen, Fledermäuse schwirrten vorbei.

Lika wurde es immer gruseliger und sie empfand jeden neuen Schauer auf ihrem Rücken noch ein bisschen angenehmer als den vorhergehenden. Doch sie wagte nicht, sich zu rühren. Starr blickte sie ins Wasser – bis ihr Blick auf eine einsame Flasche fiel, die unter dem Wullenwebersteg hindurchtrieb. Nun war das nichts Besonderes, leere Flaschen, Coladosen und Plastiktüten trieben immer mal wieder hier vorbei. Diese Flasche hatte eine seltsame, altmodische Form, deshalb fiel sie ihr auf.

Bob merkte, wie gebannt Lika ihm lauschte. Er sprach noch eindringlicher, schilderte alles noch ausführlicher und erklärte ihr mit ernstem Gesicht, dass die Zombies am liebsten unschuldige Mädchen umbrachten. Je unschuldiger, desto besser für ihre Rache, sagte er und zeigte Lika mit beiden Händen, rollenden Augen und gefletschten Zähnen gleich noch, *wie* die Zombies das taten.

Lika spürte die Absicht und verlor die Lust am Zuhören. »Und warum haben die Zombies zweihundert Jahre lang mit ihrer Rache gewartet?«, fragte sie. »Die hätten sich doch gleich nach ihrer Ermordung rächen können.«

Bob zuckte die Achsel. »Zombies sind nun mal so.«

Lika sah der Flasche nach, die nun dicht am Ufer entlangtrieb, und überlegte weiter. »Und was heißt 'n das eigentlich – Zombies? Waren die nur scheintot oder halb tot oder was?«

Bob tippte sich an die Stirn. »Zweihundert Jahre lang scheintot, so was gibt's ja gar nicht. Die waren richtig tot, nur das Unrecht hat sie nicht schlafen lassen.« Er merkte, dass er sich widersprochen hatte, und bemühte sich, Lika zu erklären, dass man bei solchen Filmen nicht immer »Warum?« fragen dürfe, weil sie einem sonst bald keinen Spaß mehr machten. Doch Lika hörte gar nicht mehr zu. Sie stand auf und deutete ins Wasser.

»Siehste die Flasche da?«

»Was is 'n mit der?«

»Da ist was drin, was Helles.«

Nun stand auch Bob auf und sah genauer zu der Flasche hin. »Vielleicht Schimmel?«

»Nee! Das is 'n Zettel – 'ne richtige Flaschenpost ist das.« Lika war plötzlich aufgeregt. »Schnell!«, rief sie. »Besorg 'nen Stock.«

Bob schaute sich verdutzt um. Wo sollte er hier so schnell einen Stock herbekommen? Seine Luftpumpe fiel ihm ein. Er nahm sie vom Rahmen und zog sie auseinander.

»Da!« Lika zeigte ihm die Flasche, die jetzt wieder ein bisschen von ihnen forttrieb. »Na los! Mach schon!«

Bob beugte sich weit vor, streckte den Arm mit der Pumpe aus und angelte nach der Flasche. Etwa ein halber Meter fehlte. Schnell zog er Schuhe und Strümpfe aus, krempelte sich die Hosenbeine hoch und ging vorsichtig ins Wasser hinein. Doch die Flasche war inzwischen noch weiter fortgetrieben. Bob machte noch einen Schritt nach vorn, dort hin, wo der Fluss schnell tiefer wurde, verlor das Gleichgewicht und fiel ins Wasser. »Ub… «, konnte er gerade noch machen, dann war er untergetaucht.

Lika stand starr. Sie wusste ja gar nicht, ob Bob überhaupt schwimmen konnte.

»Bob!«, schrie sie. »Bob!«

Er tauchte wieder auf, prustete und spuckte und verzog das

Gesicht, weil das Wasser so eklig schmeckte, und wollte zurück ans Ufer. Doch das ließ Lika nicht zu. Dass er schwimmen konnte, sah sie ja nun. Und wenn er sowieso schon drin war, konnte er auch gleich die Flasche holen, die durch die Wellen, die sein Sturz verursacht hatte, noch weiter vom Ufer fortgetrieben war.

»Da!«, schrie sie. »Die Flasche!«

Bob warf die Luftpumpe ans Ufer, die er die ganze Zeit festgehalten hatte, und kraulte auf die Flasche zu, bis er sie endlich in den Händen hielt.

»Bravo!«, schrie Lika und freute sich, obwohl das, was Bob da vollbracht hatte, ja eigentlich keine große Leistung war. Sie wollte ihm nur zeigen, wie dankbar sie ihm war, und dass er sich wegen seines Sturzes nicht zu schämen brauchte.

Schwer atmend stand Bob dann wieder neben Lika. Das Wasser lief ihm aus den Haaren, seine Jeans und sein Hemd waren klatschnass. »Schmeckt gemein«, sagte er und meinte damit das Wasser.

Lika nickte nur. »Geh mal lieber gleich heim und unter die Dusche. Wer weiß, was da alles für Chemie drin rumschwimmt.«

»Guck erst mal rein«, verlangte Bob. Nachdem er sich dermaßen geopfert hatte, wollte er wenigstens wissen, ob sein Einsatz sich gelohnt hatte.

Lika öffnete die Flasche und linste in den Flaschenhals. »Tatsächlich!«, freute sie sich. »Da is 'ne Tüte drin.«

»Hol sie raus!«, drängelte Bob.

»Ich komm nicht ran.«

Lika hatte zuerst versucht, die Tüte aus der Flasche zu schütteln, jetzt versuchte sie, den kleinen Finger in die Flaschenöffnung zu kriegen. Aber wenn ihr kleiner Finger auch dünn genug war, um in den Flaschenhals hineinzukommen, so war er doch nicht lang genug, um die Tüte zu erwischen.

»Gib her!« Bob nahm Lika die Flasche kurz entschlossen ab und zerschlug sie auf einem Stein. Dann reichte er Lika die Tüte.

Lika war beeindruckt und verärgert zugleich. »Hoffentlich tritt da jetzt keiner rein.«

Bob winkte ab. »Is ja keine Badeanstalt hier.«

»Ach nee!« Lika musste lachen, nahm den Zettel und las ihn Bob vor: »Mein Name ist Matthias Loerke. Ich wohne in der Neuen Krugallee 72, DDR-1193 Berlin. Ich bin fast zwölf Jahre alt und gehe in die sechste Klasse. Wer diese Flaschenpost findet, soll mir schreiben. Ich schreibe garantiert zurück. Meine Freunde nennen mich Matze. Viele Grüße – Matthias Loerke, DDR ...«

»Aus Ost-Berlin?« Bob fuhr sich mit dem Arm über das verschmierte Gesicht, aber dadurch wurde es nur noch schlimmer. Die Brühe klebte in den Augen, er zwinkerte hilflos.

»Matze heißt er«, sagte Lika leise. »Ich kenne einen, der Atze heißt, aber Matze ...?«

»Warst du schon mal in Ost-Berlin?«

Lika war noch nie in Ost-Berlin. Der Vater war mal da gewesen, bevor sie die Mauer gebaut hatten. Damals war er ungefähr so alt gewesen, wie sie jetzt war. Später war er dann nicht mehr hingefahren.

»Vielleicht will er abhauen«, überlegte Bob und zwinkerte wieder. »Da hauen ja immer wieder welche ab.«

Das stimmte. Alle paar Tage berichteten die Zeitungen von Leuten aus der DDR, die versuchten, nach West-Berlin zu kommen. Manche schafften es, manche nicht. Die Leute, die dicht an der Mauer wohnten, hörten auch ab und zu mal

Schüsse. Aber dieser Matthias war ja erst zwölf Jahre alt und mit zwölf lebte er sicher noch bei seinen Eltern. Lika schüttelte den Kopf. »Der sucht bestimmt bloß 'n Brieffreund.«

»Schreib ihm doch.« Bob machte plötzlich ein komisches Gesicht. »Dann freut er sich.«

Daran hatte Lika noch gar nicht gedacht. Aber irgendwie fühlte sie sich nun dazu verpflichtet. Sollte denn der Junge in Ost-Berlin seine Flaschenpost ganz umsonst losgeschickt haben? »Guck mal«, sagte sie und hielt Bob den Zettel hin. »Sogar in drei Sprachen hat er den Brief geschrieben. In Deutsch und Englisch – das andere ist bestimmt Russisch.«

Bob wollte den Zettel nicht sehen. »Ich muss los«, sagte er und stieg auf sein Rad. »Sonst kleb ich hier noch fest.«

»Willste ihm denn nicht auch schreiben?«, rief Lika ihm noch nach.

»Nee, danke!«, rief Bob zurück. »Ich kenn den ja gar nicht.«

Lika sah Bob einige Zeit verwundert nach, dann begriff sie: Bob war eifersüchtig. Es passte ihm nicht, dass sie einem Jungen schrieb.

Sollte sie sich darüber freuen – oder ärgern? Irgendwie gefiel ihr das ja, aber andererseits ärgerte es sie mächtig. Sie war ja schließlich nicht Bobs Kanarienvogel.

Sie las noch mal den Zettel in ihrer Hand. Neue Krugallee – wo war das überhaupt? Gleich hinter der Mauer? Oder irgendwo in der Nähe des riesigen Fernsehturms, den man auch von West-Berlin aus gut sehen konnte? Nachdenklich ging sie auf ihr Haus zu, nachdenklich stieg sie die Treppen hoch, nachdenklich blickte sie ins Wohnzimmer hinein.

Der Vater saß noch immer vor dem Fernseher. »Na?«, fragte er. »Alles klar?«

Lika nickte. »Und bei dir?«

»Tolles Spiel!« Der Vater strahlte. »Der dritte Satz ging nur im Tie-Break an den Ami.«

Lika verstand nichts vom Tennis. Sätze, Punkte, Spiele, Tie-Break, das war ihr alles Wimbledon-Pimbledon, wie die Mutter immer sagte, wenn sie sich über Vaters ewige Tennis-Guckerei lustig machte.

Die Mutter schlief nicht mehr, sie las in einem Buch über Frauen im Wechselalter. Lika setzte sich zu ihr, zeigte ihr den Zettel aber nicht. »Spannend?«, fragte sie nur.

Die Mutter lachte. »Nee, das nun gerade nicht, aber interessant.«

»Biste denn schon im Wechselalter?«

Die Mutter lachte noch lauter. »Ich hoffe nicht.«

»Und wann biste so weit?«

»So zwischen fünfundvierzig und fünfundfünfzig.«

»Dann hast du ja noch zehn Jahre Zeit.« Lika war enttäuscht. »Warum liest du denn das jetzt schon?«

»Zur Vorbereitung.« Die Mutter wurde ernst. »Ich möchte wissen, was mich erwartet.«

Lika nickte, aber in Wahrheit war sie anderer Meinung. Wenn die Mutter noch nicht in diesem Alter war, brauchte sie auch noch nichts darüber zu lesen. Ihre vielen Frauenbücher waren auch so ein Wimbledon-Pimbledon. Immer las sie darin, immer wusste sie alles über Frauen und Mädchen und verwendete so komische Wörter, die kaum einer verstand außer ihr selber.

Lika zögerte noch einen Moment, ob sie der Mutter was von der Flaschenpost erzählen sollte, dann ließ sie es sein, ging in den Flur und nahm den Stadtplan mit in ihr Zimmer. Wenn der Vater und die Mutter ihre Privatsphäre hatten, dann hatte sie von jetzt an eben auch ihr Geheimnis.

Sie breitete den Stadtplan auf ihrem Bett aus und suchte die Neue Krugallee im Straßenverzeichnis. Erst fand sie sie nicht, aber dann stellte sie fest, dass auch das Straßenverzeichnis in Berlin (West) und Berlin (Ost) unterteilt war. Sie guckte unter Berlin (Ost) und fand die Straße: V7 bis W6. Also eine lange Straße. Voller Neugier fuhr sie mit dem Finger die Spalteneinteilung entlang. Die Neue Krugstraße lag nicht in der Innenstadt, sie lag weiter draußen ... Da, dicht an der Spree, nur ein Wald lag dazwischen. Plänterwald hieß er. Komisch, von dem hatte sie noch nie was gehört.

Eine Zeit lang studierte Lika die Umgebung der Neuen Krugallee, dann ließ sie sich mit dem Rücken auf die Karte fallen und starrte an die Zimmerdecke. Sie versuchte sich vorzustellen, wie dieser Matze lebte, wie er wohnte, wo er den Brief geschrieben hatte ... und dann, wie er die Flasche in die Spree geworfen hatte. Doch so sehr sie sich auch bemühte, sie sah kein Jungengesicht vor sich. Sie wusste zu wenig von ihm, wusste ja nicht mal, ob er blond oder dunkelhaarig, dick oder dünn, groß oder eher klein war. Sie nahm noch mal den Zettel in die Hand. Matthias Loerke! Nein, über den Namen erfuhr sie auch nicht, wie er aussah. Sie musste ihm, wenn sie ihm schrieb, ein Foto von sich beilegen und ihn bitten, ihr auch eins zu schicken. Solange sie nicht wusste, wie er aussah, wusste sie auch nicht, ob sie ihn mochte.

Lika sprang auf und nahm ihr Fotoalbum aus dem Regal. Welches Foto sollte sie ihm schicken? Das von der Klassenfete, wo sie die grünen Hosen und den blauen Pulli anhatte? Lieber nicht, Grün und Blau machten sie noch blasser, als sie sowieso schon war. Das mit der roten Bluse auf der Tiergarten-Wiese? Ja, das war das Richtige. Da wirkte sie nicht so blass und rot war sowieso ihre Lieblingsfarbe. Rasch nahm sie das Foto heraus, setzte sich an ihren Schreibtisch und begann, Matze zu schreiben. Doch noch bevor sie die ersten Wörter zu Papier gebracht hatte, zögerte sie wieder: Wie sollte sie ihn denn anreden? Lieber Matthias? Aber sie kannte ihn ja gar nicht. – Hallo Matze? Ja, das war gut, das klang locker.

Besucher
So was bringt nur Ärger
Schnipseljagd
Ein toller Vater

Wieder war eine Woche vergangen, und wieder saß Matze am Fluss und träumte seiner Flaschenpost nach, von der er nun annahm, dass sie längst in der Havel gelandet war, wenn nicht sogar schon in der Elbe.

Es war ein schöner Sonnabendvormittag, die Sonne schien und viele Boote waren zu sehen. Und alle halbe Stunde kam ein weißes Ausflugsschiff vorüber, voll mit gut gelaunten Menschen. Manchmal winkten ein paar Kinder und Matze winkte zurück. Er hatte auch gute Laune. Nur wenn er an Opa Haases Gitter dachte, verdunkelte sich seine Miene ein wenig. Er wusste ja immer noch nicht, ob es dieses Gitter wirklich gab. Doch die trüben Gedanken verscheuchte er jedes Mal schnell. Er träumte lieber seiner Flasche hinterher. Das machte Spaß und brachte die gute Laune schnell zurück.

Stürme, Wellenberge, Schaumspitzen und seine Flasche immer mittendrin. Und dann der Junge am Strand, wie er staunend seine Botschaft las, wie er sie ins Dorf trug, zu den Hütten der anderen Inder oder Indios, wie er sie feierlich dem Dorfältesten überreichte, wie überrascht der war … Es war herrlich, so zu träumen. Und da seine Träume sich ständig wiederholten, sah Matze schon bald vertraute Gesichter vor sich. Ja, manchmal war ihm sogar, als hätte er sein Inder- oder Indio-Dorf schon mal besucht. Auch an dem Tag, an dem er seine Flaschenpost ins Wasser warf, hatte er von dem Palmendorf geträumt. Aber dann war plötzlich eine große Panik in ihm aufgekommen: Was, wenn seine Flasche schon an der Liebesinsel strandete? Dann fand sie dort vielleicht jemand aus seiner Klasse und lachte sich über ihn tot. Und alle anderen lachten mit.

Er war aufgesprungen und nach Hause gelaufen. Und dann hatte er die ganze Nacht nicht richtig schlafen können, hatte immer wieder von seiner Flaschenpost geträumt und war jedes Mal neu aufgeschreckt, weil irgendwelche Leute ihn auslachten oder ausschimpften. Einmal träumte er sogar, dass sich alle Schulklassen in der Aula versammeln mussten und er auf die Bühne gerufen wurde, um unter dem Gelächter der Lehrer, Schüler und Eltern seine Flaschenpost abzuholen.

Am nächsten Tag hatte er sich gleich nach der Schule beim Bootsverleih an der Abtei-Brücke ein Boot gemietet und war hingerudert. Er hatte die ganze Insel abgesucht und die Flasche zu seiner großen Erleichterung nicht gefunden. Aber hätte er sie gefunden, hätte ihn das nicht sehr überrascht, so intensiv waren seine Träume gewesen. Jetzt träumte er nicht mehr so was. Wo seine Flasche jetzt noch gefunden werden konnte, kannte ihn garantiert niemand mehr.

»Bist du schon wieder da?«

Pipusch! Wer sonst?

»Darf ich etwa nicht?« Matze gab sich ungnädig. Jeden Tag trieb Pipusch sich neuerdings hier herum. Spionierte er ihm etwa nach? Ahnte er was?

»Ich sag ja gar nichts.« Still setzte Pipusch sich neben Matze, kniff die Augen zusammen und sah ebenfalls aufs Wasser hinaus.

Matze ärgerte sich noch eine Weile darüber, dass Pipusch ihm schon wieder seine Einsamkeit stahl, dann erschien ihm Pipusch plötzlich seltsam ruhig, ja, fast traurig. »Was 'n los?«

»Nichts.« Pipusch starrte stur aufs Wasser.

»Haste Ärger gehabt?«

Pipusch schüttelte den Kopf und sah weiter geradeaus, aber seine Augen füllten sich langsam mit Tränen.

Matze wagte nicht, noch einmal zu fragen. Wenn Pipusch so aussah wie jetzt, war wieder mal Besuch bei ihnen zu Hause.

Seine Mutter hatte sich voriges Jahr von seinem Vater scheiden lassen, weil er immer nur trank und sie, wenn er betrunken war, geschlagen hatte. Seit Pipusch und seine Mutter allein lebten, ging es ihnen besser. Manchmal aber brachte Pipuschs Mutter einen anderen Mann mit, weil sie, wie sie mal zu Pipusch sagte, nicht ewig allein leben wollte. Pipusch mochte diese Männer nicht, war immer ganz traurig, wenn einer bei ihnen zu Besuch war. Erst wenn der Besuch wieder verschwunden war und die Mutter sagte, dass auch dieser Mann nicht der Richtige für sie gewesen sei, ging es Pipusch wieder besser.

»Der bleibt auch nicht lange«, tröstete Matze Pipusch. Und als hätte er nur darauf gewartet, dass Matze so was sagte, begann Pipusch auf einmal zu reden. Und Matze erfuhr, dass Pipuschs Probleme viel schlimmer waren, als er gedacht hatte. Pipusch wusste nämlich gar nicht, ob er sich wünschen sollte, dass auch dieser Besuch bald wieder verschwand. Der ewige Wechsel machte ja auch keinen Spaß. Vielleicht wäre es besser, wenn endlich mal einer blieb. Allerdings müsste der dann wirklich in Ordnung sein. Und so richtig in Ordnung war bisher noch keiner gewesen.

Am liebsten wäre es Pipusch natürlich gewesen, wenn überhaupt keiner mehr kam. Dieser Wunsch war nur unerfüllbar. Die Mutter würde weitersuchen, bis sie den Richtigen gefunden hatte, das hatte sie ihm gesagt. Also konnte er nur wünschen und hoffen, dass sie ihn bald fand – und dass er wirklich der Richtige war, auch für ihn.

Dazu konnte Matze nichts mehr sagen. Das war wirklich kompliziert. Aber Pipusch tat ihm nun noch mehr Leid – und da beschloss er, ihn in sein Geheimnis einzuweihen. »Das mit der Flaschenpost war übrigens 'ne tolle Idee von dir«, sagte er und lächelte.

Pipusch wusste erst gar nicht, worum es ging. Aber dann erinnerte er sich und fragte neugierig: »Wieso? Willste eine loslassen?«

Matze grinste nur. »Hab ich schon.«

»Wann?« Pipusch sperrte Mund und Nase auf. Und dann, als er alles wusste, spähte er zur Liebesinsel hin, als sähe er sie zum ersten Mal. In diese Richtung musste die Flasche ja davongetrieben sein.

»Was meinst 'n, wie lange es dauert, bis ich Antwort kriege?«, fragte Matze. Er war froh darüber, endlich jemanden zu haben, mit dem er alles besprechen konnte.

Pipusch zuckte die Achseln.

»Ein Jahr bestimmt. Vielleicht sogar zehn Jahre. Vielleicht auch nie.«

Matze erschrak. Pipusch hatte Recht. Es konnte sein, dass seine Flasche nie gefunden wurde. Es gehörte ja eine Menge Glück dazu, dass sie entdeckt wurde. Langsam stand er auf. »Ich muss nach Hause. Wir essen bald.«

»Vielleicht geht's ja auch schneller.« Pipusch blieb sitzen. Das ging nicht, dass Matze jetzt einfach verschwand, nachdem er ihm von seiner Flaschenpost erzählt hatte. Jetzt wollte er erst noch ein bisschen darüber reden.

Matze spürte, was in Pipusch vorging. »Kannst ja mitkommen«, schlug er vor. »Es gibt Gemüseeintopf, da bleibt immer jede Menge übrig.«

»Meinste?« Pipusch zögerte noch. Er kannte Matzes Eltern, mochte besonders Matzes Vater, der seiner Meinung nach einen Traumberuf hatte – den ganzen Tag mit der S-Bahn durch Berlin rattern. Er wusste auch, dass Matzes Mutter, ohne lange zu fragen, einen Teller dazustellen würde, aber es genierte ihn doch. Immer war er es, der bei Loerkes zu Mittag aß. Er selber traute sich nie, Matze einzuladen. Entweder war er mit der Mutter allein, dann kochte sie nicht richtig, oder einer von diesen blöden Besuchern war da.

»Klar!« Matze gab Pipusch die Hand und zog ihn hoch. »Und hinterher reden wir noch ein bisschen über die Flaschenpost, ja?«

Pipusch wusste, warum Matze so nett zu ihm war. Es genierte ihn ein bisschen, aber er nahm Matzes Einladung an. Was hätte er denn tun sollen? Etwa allein bleiben und heulen?

Auf dem Weg durch den Plänterwald schmiedeten Matze und Pipusch Pläne. Sie wollten sich gleich nach dem Mittagessen in Matzes Zimmer zurückziehen und im Schulatlas nachsehen, welche Wege die Flaschenpost vielleicht nehmen würde. Und danach wollten sie im Lexikon nachschlagen, um zu erfahren, was genau das für Meere waren, durch die ihre Flaschenpost schwamm. Und wie es in den Ländern aussah, an deren Küsten sie vielleicht vorübertrieb. Sie redeten sich von einer Begeisterung in die andere, und es wurde ihnen richtig heiß von all der Phantasie, die sie entwickelten. Als sie aber bei Matze oben ankamen, war alles ganz anders.

Matzes Mutter stellte nicht einen weiteren Teller dazu, sondern legte einen Brief auf den Küchentisch – einen offenen Brief.

»Wer ist diese Angelika?«, fragte sie ernst. Und der Vater, der schon hinter seinem Teller saß, sah von seiner Zeitung auf und guckte neugierig.

»Wer?«, fragte Matze verblüfft.

»Angelika.« Die Mutter las laut den Absender vor. »Angelika Schmidt.« Und dann griff sie in den Briefumschlag und hielt Matze ein Foto hin, auf dem ein Mädchen zu sehen war, ein Mädchen in einer roten Bluse auf einer grünen Wiese.

Matze nahm das Foto und schüttelte den Kopf. »Die kenn ich nicht.« Und Pipusch war sich genauso sicher. »In unsere Schule geht die nicht.«

»Das kann ich mir denken«, sagte die Mutter und wandte keinen Blick von Matze. »Sie wohnt nämlich in West-Berlin.«

In West-Berlin? Nun begriff Matze gar nichts mehr. Wie sollte er ein Mädchen kennen, das in West-Berlin wohnte? Das ging ja gar nicht, das ... seine Flaschenpost! Natürlich! Der Brief aus West-Berlin musste mit seiner Flaschenpost zusammenhängen. Wie ein Blitz durchzuckte ihn dieser Gedanke: Seine Flaschenpost war schon im West-Berlin gefunden worden! Und der Finder war kein Indiojunge, sondern ein Mädchen. Und sie hatte ihm gleich geschrieben und auch ein Foto von sich mitgeschickt ...

»Sie schreibt von einem Brief in der Flasche.« Der Vater schmunzelte. »Das hört sich ja an wie in einem Abenteuerroman.«

»Abenteuerroman!«, schimpfte die Mutter. »Dummheiten,

die uns bloß Ärger bringen, sind das.« Sie sah Matze in einer seltsamen Mischung aus Enttäuschung, Verwunderung und Zorn an.

Matze senkte den Blick. Er wusste immer noch nicht, was er dazu sagen sollte. Er wusste ja nicht mal, was er zu fühlen oder zu denken hatte. Seine Träume, der Junge am Strand … Aber nein, er war nicht enttäuscht. Er freute sich, dass ihm überhaupt jemand geantwortet hatte, und er war neugierig auf das, was das Mädchen ihm schrieb. Und natürlich auf das Foto, das er nun gerne einmal in Ruhe betrachtet hätte. Schließlich war West-Berlin ja auch ein anderes Land.

»Das war also dein Liebesbrief!«, schimpfte die Mutter weiter. »Eine tolle Idee! Das muss ich schon sagen.«

Matze sah die Mutter an. So wütend, wie sie tat, konnte sie doch gar nicht sein. Es war ja überhaupt nichts passiert. Ein Brief war gekommen, weiter nichts.

Die Mutter ahnte, was Matze dachte. »Ja, weißt du denn überhaupt, was uns das für einen Ärger bringen kann?«, rief sie.

Matze schüttelte den Kopf. Wieso sollte ein Brief von einem West-Berliner Mädchen an einen Ost-Berliner Jungen Ärger bringen? Opa Haase bekam jede Woche Post aus West-Berlin. Seine Schwester lebte dort. Und noch nie hatte er deswegen Ärger bekommen. »Was … was steht denn drin in dem Brief?«, fragte er leise.

»Wozu willst du das wissen?« Die Mutter wurde immer zorniger. »Willst du ihr etwa noch mal schreiben, willst du, dass jede Woche so ein Brief angeflattert kommt?«

Matze sah zum Vater hin. Dem Vater gefiel nicht, was die Mutter sagte, aber er wagte nicht, sie zu unterbrechen. Er wusste, das würde sie nur noch mehr aufregen.

»Ich werde dir den Brief nicht geben«, sagte die Mutter entschlossen. »Ich werde nicht zulassen, dass du uns Ärger machst.« Und mit diesen Worten begann sie den Brief langsam zu zerreißen. In viele einzelne Schnipsel zerriss sie ihn. Matze guckte nur ungläubig zu.

»Reni!«, rief da der Vater endlich. »Was machst du denn da? Das geht doch nicht.«

»O doch!«, erwiderte die Mutter fest und warf die Schnipsel in den Mülleimer. »Das geht. Wenn Matthias schon nicht weiß, was gut für uns ist, ich weiß es.«

Matze umkrampfte das Bild in seiner Hand und machte langsam ein paar Schritte rückwärts. So hatte er die Mutter noch nicht erlebt.

»Gib mir das Foto.« Die Mutter streckte die Hand aus. Ihre Stimme klang bitter und befehlend, beides zugleich.

Matze schüttelte den Kopf. Was die Mutter getan hatte, durfte sie nicht tun. Es war sein Brief, den sie zerrissen hatte, seiner ganz allein. Und auch das Foto hatte das Mädchen *ihm* geschickt.

»Matthias!« Die Mutter kam näher und streckte die Hand noch weiter aus. Da drehte Matze sich um und lief aus der Tür und Pipusch lief hinter ihm her. Erst auf der Straße hielten sie an; Matzes Mutter war ihnen nicht gefolgt.

»Mensch!«, stöhnte Pipusch. »Das is'n Ding! Das is echt 'n Ding!«

Matze schwieg nur und sah sich noch mal das Foto an. Wie alt diese Angelika wohl war? Sie wirkte ziemlich klein und schmal auf dem Foto, aber ihr Gesicht sah schon älter aus. Mindestens zwölf oder dreizehn war sie.

»Gefällt sie dir?«, fragte Pipusch neugierig.

Matze zuckte die Achseln. Aber das war nicht echt. Sie gefiel ihm schon, diese Angelika. Sie hatte ein freundliches Gesicht ... Und doof sah sie auch nicht aus.

Pipusch tippte auf die Unterseite des Fotos. »Guck mal nach, ob die Adresse draufsteht.«

Matze drehte das Foto um – keine Adresse, nur der Stempel der Firma, die das Bild entwickelt hatte.

Pipusch kratzte sich am Kopf. »Jetzt können wir ihr nicht mal antworten.«

Matze antwortete nicht. Er verstand die Mutter immer noch nicht. Wie hatte sie nur so was tun können? Wenigstens mal lesen lassen hätte sie ihn den Brief müssen.

»Dein Vater!« Pipusch trat vorsichtshalber beiseite.

Matze sah zur Haustür hin, sah den Vater aus der Tür kommen und spürte, wie ihm die Tränen kamen. Die Enttäuschung war einfach zu groß.

Der Vater legte ihm die Hand auf die Schulter. »Kommt ein Stück mit«, bat er. »Ich muss euch was erklären!« Und dann ging er mit Matze und Pipusch in Richtung S-Bahnhof davon und erzählte ihnen, dass das mit den Westkontakten so eine Sache sei. »Mutter will ja noch vorwärts kommen in ihrem Betrieb, und da ist es besser, wenn sie keine Westkontakte hat. Das gilt aber leider nicht nur für sie, sondern für die ganze Familie.«

Matze hatte schon mal so was Ähnliches gehört. Ilsas Vater hatte zwei Brüder im Westen, einen in Göttingen und einen in irgendeinem Dorf bei Stuttgart. Wegen dieser Brüder durfte er, obwohl er auf seinem Gebiet ein 1a-Fachmann war, keine Dienstreisen in den Westen machen. Das behinderte ihn in seinem Vorwärtskommen und darüber war er sehr ärgerlich. Er hatte sogar schon davon gesprochen, ganz in den Westen zu ziehen, einfach eine Ausreise zu beantragen. Sie wäre gar nicht traurig darüber, hatte Ilsa gesagt. Im Westen gäbe es viel schickere Klamotten und nach Paris dürfte man da reisen und auf die Bahamas. Man müsse nur das nötige Kleingeld dazu haben, und das würde ihr Vater, der 1a-Spezialist, drüben schon verdienen.

»Verwandte haben wir ja drüben Gott sei Dank nicht«, fuhr der Vater fort und blickte abwechselnd mal Matze und mal Pipusch an. »Und Bekannte auch nicht. Und da schickst du nun 'ne Flaschenpost los.« Er lächelte Matze zu.

»Ich … ich«, stammelte Matze. »Ich dachte ja, sie …« Weiter kam er nicht.

»Ich kann mir schon denken, was du gedacht hast«, sagte der Vater ernst. »Du hast gedacht, sie treibt in irgendein fernes Land, stimmt's?«

Matze nickte nur. Auf die Idee, dass seine Post schon in West-Berlin gefunden werden könnte, wäre er nie gekommen. Trotzdem: So richtig begriff er, was der Vater da gesagt hatte, immer noch nicht. Jochen hatte einen Brieffreund in Ungarn, Manuela einen in der Sowjetunion und Markus hatte sogar eine kubanische Brieffreundin. Warum sollte er keine Brieffreundin in West-Berlin haben? Es hieß doch immer, die Völkerverständigung wäre das Allerwichtigste. Durfte man sich denn nur mit Ungarn, Russen, Bulgaren, Polen und Kubanern verständigen? Mit denen war die DDR doch sowieso schon befreundet.

Sie waren am S-Bahnhof angelangt. Der Vater blieb stehen. »Ich will ja nur, dass du Mutter verstehst«, sagte er. »Sie hat Angst, dass eine solche Geschichte ihr Schwierigkeiten machen könnte.«

Matze fand, dass die Mutter trotzdem nicht so reagieren durfte. Was war ihr denn wichtiger – er oder ihr Vorwärtskommen? Aber das fragte er den Vater lieber nicht. »Und du?«, sagte er nur leise. »Hast du keine Angst?«

»Ich?« Der Vater lachte. »Warum denn? Meine S-Bahn klaut mir doch keiner.« Und während er das sagte, griff er in die Tasche seiner Uniformjacke und drückte Matze ein paar Schnipsel in die Hand. »Vielleicht bekommst du deinen Brief ja so ungefähr wieder zusammen. Ich hab da vorhin 'ne kleine Schnipseljagd veranstaltet.«

Schnipseljagd? Matze verstand nicht. Aber dann sah er die Papierschnipsel in seiner Hand an und begriff: Das war der Brief von dieser Angelika, der Vater hatte ihn aus dem Müll gefischt. Ohne auf Pipusch zu achten, der sich nun völlig überflüssig vorkam, lehnte er sich an den Vater und ließ es zu, dass er ihm den Kopf streichelte.

»Aber Mutter darf nichts davon erfahren«, bat der Vater, bevor er sich dann verabschiedete. »Sie würde das nicht verstehen.«

Matze nickte ernst und sah dem Vater noch eine Zeit lang nach. Und Pipusch stellte sich neben ihn und sagte nur ein einziges Wort, das aber gleich dreimal, und jedes Mal noch ein bisschen begeisterter: »Klasse! – Klasse! – Klasse!«

Matze fand auch, dass sein Vater da eine klasse Leistung vollbracht hatte. Doch dann lief er gleich zur nächsten Bank vor dem S-Bahnhof, kniete sich davor hin und begann die Briefschnipsel wieder zusammenzusetzen. Pipusch hockte sich daneben und guckte zu.

Es dauerte lange, weil Matze den Brief ja noch kein einziges Mal gelesen hatte und einige Schnipsel fehlten. Aber schließlich war der Brief fast komplett und sie konnten ihn lesen. *Hallo Matze*, stand da, *ich heiße Angelika Schmidt und wohne in der* – verflucht, ausgerechnet die Adresse fehlte! – *Mein*

Freund Bob und ich haben deine Flasche aus dem Wasser gefischt. Ist die Spree bei euch auch so …

»… schmutzig«, sagte Pipusch, »da fehlt schmutzig.« Matze nickte nur und las weiter: *»… dir ein Bild von mir, damit du weißt, wie ich aussehe. Schickst du mir auch ein Bild von dir? Ich habe auf dem Stadtplan nachgesehen, wo du wohnst. Da war ich noch nie. Aber du warst ja sicher auch noch nie bei uns. Übrigens: Ich gehe auch in die sechste Klasse. Bin allerdings schon richtig zwölf. Schreib mir bald. Viele Grüße – Lika. (So nennen mich meine Freunde. Aber Bob ist kein solcher Freund, wie du vielleicht denkst, nur ein dufter Kumpel. Außerdem ist er Türke und heißt eigentlich Cabbar.)«*

Matze las den Brief zwei-, dreimal, dann legte er die Schnipsel sorgfältig wieder zusammen und schob sie in die Hosentasche.

»Schickst du ihr ein Foto von dir?«, fragte Pipusch.

»Wie denn?«, fragte Matze. »Hab ja keine Adresse.«

»Aber ich!« Pipusch hielt Matze einen Schnipsel vom Briefumschlag hin, den Matze achtlos beiseite getan hatte, weil er ja nicht zum Brief gehörte. *A. S.*, stand da, *Wullenweberstraße 43, 1000 B…*

»Mensch!« Matze sprang auf. »Da haben wir ja fast alles.« Und dann lief er los, hin zu Opa Haase. Und während sie durch die Straßen liefen, erzählte er Pipusch, dass er Opa Haase versprochen hatte, ihm den Brief zu zeigen, falls jemand auf die Flaschenpost antwortete.

»Ja«, sagte Pipusch und lief strahlend neben Matze her. »Und wenn sie dir wieder schreibt, soll sie den Brief gleich an Opa Haase schicken. Dann hast du zu Hause keinen Ärger.«

Schon wieder eine tolle Idee von Pipusch. Matze konnte sich nur wundern. Aber dafür war nun keine Zeit mehr; sie waren schon vor Opa Haases Haustür angelangt.

Supermatze
3:1 für Moni
Politik
In Teufels Küche

Nun war es an Lika, zu warten. Und wenn sie ihrem Brief auch nicht ganz so sehnsüchtig hinterherträumte wie Matze seiner Flaschenpost, so war sie doch neugierig auf das, was nun geschehen würde. Und da sie sich von ihrem Brief eine Abschrift gemacht hatte, las sie die Zeilen abends vor dem Einschlafen manchmal durch. Dabei versuchte sie sich vorzustellen, wie dieser Ost-Berliner Junge ihren Brief las. Würde ihm, was sie geschrieben hatte, gefallen? Oder war ihr der Brief ein wenig zu locker geraten? Lika war sehr selbstkritisch. Am liebsten hätte sie ihren Antwortbrief zerrissen und einen neuen geschrieben, einen ganz anderen. Aber dazu war es nun zu spät. Der Brief war unterwegs und der Junge würde ihn bekommen, ganz egal, ob er ihr noch gefiel oder nicht. Oder sollte sie einen zweiten Brief hinterherschicken, einen ernsthaften? Quatsch! Dann bildete sich dieser Matze womöglich noch was ein.

Wieder und wieder versuchte Lika, sich Matze vorzustellen, sein Gesicht, seine Kleidung, seine Augen. Eines Abends im Bett sah sie dann plötzlich einen sehr ernsten Jungen vor sich, einen mit braunen Haaren und braunen Augen. Dabei konnte es doch sein, dass dieser Matze blond war, hellblond und graue, grüne oder blaue Augen hatte. Sie stellte sich so einen Jungen vor – und der gefiel ihr besser, viel besser als der Erste. Sie steckte ihn in Jeans, zog ihm ein hellblaues T-Shirt an und weißblaue Turnschuhe.

Das war toll, diese Spinnerei! Das machte richtig Spaß. Das war, als hätte sie einen kleinen Fernseher im Kopf, den sie an- und ausschalten konnte, wie sie wollte. Und sie konnte ihr eigenes Programm machen. Sie probierte es gleich noch mal aus und stellte sich Matze vor, wie er die Flasche ins Wasser warf und ihr lange nachsah. Dann malte sie sich sein Zimmer aus – ungefähr so wie ihr eigenes, nur eben mit ein paar anderen Möbeln. Ob er auch Fußball spielte? Dann hatte er sicher auch jede Menge Vereinswimpel überm Bett hängen. Vielleicht würde sie ihm mal einen Wimpel vom 1. FC Leo schicken und ein Foto von ihrer alten Mannschaft dazu ... Dann konnte er sehen, dass sie zwar 'ne Sprotte war, aber jedenfalls nicht unsportlich. Die DDR war doch so gut im Sport. Vielleicht imponierte ihm das.

Kurz vor dem Einschlafen wurde das Programm in Likas Kopf immer verrückter. Erst erfand sie einen Supermatze – Matze im Superman-Look –, dann zog sie ihm schwarzrotgold karierte Hosen an und malte ihm auf das rote T-Shirt den Zirkel im Ährenkranz – das Wappen der DDR, das sie von den vielen Siegerehrungen der letzten Olympiade her kannte. Das sah schön bunt aus. Dann gefiel ihr das auch nicht mehr und sie machte einen Punker aus ihm. Die gab's ja auch in Ost-Berlin. Erst schnitt sie ihm die passende Frisur zurecht, dann färbte sie ihm die Haare. Grün gefiel ihr am besten. Aber komisch, zu grünen Haaren passten nur rote Augen – und das sah zum Fürchten aus.

Lika musste lachen und zog sich die Bettdecke vors Gesicht. Im Dunkeln aber ließ es sich noch viel besser spinnen und so erfand sie noch viele Matze-Figuren, bevor sie endlich einschlief.

Und weil ihr diese Spinnerei Spaß gemacht hatte, schaltete sie von nun an öfter ihr eigenes Programm ein. Auch in der Schule. Das half ihr über viele langweilige Unterrichtsstunden hinweg. Gegen ihre Neugier aber half es nicht. Nun waren ja schon zwei Wochen vergangen und noch immer hatte dieser Matze nicht geantwortet. Langsam wurde sie sauer auf ihn, und in ihrer Vorstellung wurde er immer hässlicher, immer mickriger, immer grauer.

Sie war aber auch auf sich sauer. Ihr Brief war eben nicht ernsthaft genug gewesen. Wieso sollte dieser Matze sich über einen so doofen Brief gefreut haben, es stand ja überhaupt nichts Vernünftiges drin. Und dann hatte sie ihm auch noch geschrieben, dass sie schon richtig zwölf war. Als ob sie damit die Ältere herauskehren wollte.

Enttäuscht wird er gewesen sein, dieser Matze! Da hatte er eine Flaschenpost rausgeschickt, sogar in drei Sprachen, da hatte er sicher davon geträumt, seine Flasche treibe bis in ein weit entferntes Land, und dann schrieb ihm so eine alberne Mieze aus ’m Westen. Und schickte ihm auch gleich noch ihr Foto, damit er sah, was für ’n spackes Hühnchen sie war.

War sie sauer genug, schlug Likas Stimmung um. Dann sagte sie sich, dass der Junge in Ost-Berlin doch eigentlich froh sein musste, überhaupt eine Antwort zu kriegen. Seine Flasche hätte ja auch irgendwo festtreiben oder an der Grenze entdeckt werden können. Wenn sie so eine Flaschenpost losgelassen hätte, hätte sie sich über jede Antwort gefreut. Und wenn sie nur aus einem anderen Berliner Bezirk gekommen wäre.

Und sie war ja immerhin West-Berlinerin, lebte – von dem Jungen aus gesehen – hinter der Mauer. Also musste sie für ihn doch was Besonderes sein. So wie er für sie ja auch was Besonderes war.

Oder antwortete er nicht, weil sie ihm geschrieben hatte, dass sie schon einen Freund hatte? Dann war er blöd, saublöd sogar. Vielleicht aber störte ihn auch nur, dass Bob Türke war. Dann konnte sie ihn vergessen, ein für allemal. Mit so einem Spinner wollte sie nichts zu tun haben.

Wenn Lika Bob traf, fragte er sie jedes Mal, ob sie schon Antwort bekommen hätte. Wenn sie dann den Kopf schüttelte, freute er sich. Das ärgerte sie noch mehr, das fand sie blöd, und deshalb wartete sie jetzt noch sehnsüchtiger auf eine Antwort.

»Vielleicht schreibt er dir gar nicht«, sagte Bob eines Tages grinsend. »Vielleicht hat ihm dein Bild nicht gefallen.« Er sagte nur das, was sie sich auch schon gedacht hatte. Aber dass er es sagte, war eine Frechheit. Eine Frechheit, auf die es nur eine Antwort gab, nämlich keine! Stehen lassen und fortgehen. Aber eiskalt und ungerührt bis übers Kinn. Doch in Wirklichkeit war nicht Bob, sondern dieser Matze an allem schuld. Erst schickte er eine alte Bierflasche mit einem Zettel drin durch die Gegend und dann antwortete er nicht mal. Nur weil er nicht antwortete, bekam diese Sache überhaupt Wichtigkeit.

Zu Hause angekommen, warf Lika sich auf die Wohnzimmercouch und lauschte in die Stille hinein. Natürlich war wieder mal keiner da, den sie fragen konnte, wie lange die Post von West-Berlin nach Ost-Berlin und wieder zurück denn normalerweise brauchte … Doch! Moni konnte sie fragen. Moni hatte eine Ost-Oma, also musste sie auch wissen, wie lange die Post …

Kurz entschlossen sprang Lika wieder auf, lief ans Telefon und wählte Monis Nummer.

Moni meldete sich gleich und freute sich über den Anruf. »Weißte was?«, rief sie in den Hörer. »Wir haben gestern gewonnen, gegen die vom Humboldt-Hain, 3:1!«

Lika wurde es ganz wehmütig ums Herz. 3:1 gegen die Mädchen vom Humboldt-Hain? Da hätte sie auch gern mitgespielt.

»Und das in einem Auswärtsspiel«, jubelte Moni weiter. Es war wirklich ein Auswärtsspiel gewesen, immerhin zwei U-Bahn-Stationen weit. »Toll«, sagte Lika nur. Aber dann unterbrach sie Moni, noch mehr Jubelarien wollte sie nicht hören. »Sag mal«, kam sie zur Sache, »du hast doch 'ne Oma im Osten. Wie lange dauert das denn immer so, bis ihr Antwort bekommt, wenn ihr euch mal schreibt?« Moni überlegte nur kurz. »So ungefähr drei Wochen.«

»Drei Wochen?«, freute sich Lika. Wenn das stimmte, lag es ja vielleicht doch nicht an ihrem Foto, dass ihr dieser Matze noch nicht geantwortet hatte. »Aber deine Oma wohnt doch gleich hinter der Mauer.«

»Zehn Tage hin, zehn Tage zurück.« Moni blieb fest. »Und auch nur, wenn die Post nicht kontrolliert wird.«

»Kontrolliert? Wieso? Wer kontrolliert denn Briefe?«

»Na, die von der Post – oder die Polizei ... Hat jedenfalls was mit Politik zu tun, Spionage oder so was.«

»Ach so!«, sagte Lika. Aber so richtig kapiert hatte sie das nicht. Sie hatte Monis Oma mal kennen gelernt, eine Spionin war die gemütliche alte Frau bestimmt nicht.

»Wozu willste 'n das überhaupt wissen?«, fragte Moni.

»Nur so«, sagte Lika. Sie war immer noch ganz durcheinander. Wenn sie daran dachte, dass da irgendein fremder Kontrolleur ihren Brief an Matze gelesen hatte, wurde ihr ganz flau im Magen. Was ging denn fremde Leute ihre Post an?

»Kontrollieren die die Briefe nur im Osten?«, fragte sie schließlich. »Oder auch bei uns ?«

»Mein Vater sagt, unsere tun's auch. Vielleicht nicht so regelmäßig wie die drüben, aber ab und zu auch.«

Das war ja eine Riesensauerei! Dann konnte es sein, dass ihr Brief an Matze gleich zweimal von Fremden gelesen wurde – zuerst im Westen und dann im Osten. Und wenn Matze ihr eine Antwort schickte, konnte es passieren, dass die auch zweimal gelesen wurde.

»Biste noch da?«, fragte Moni.

»Ja.« Lika war richtig sauer. Obwohl Moni ja nun wirklich nichts dafür konnte.

Moni schwieg eine Zeit lang, dann fragte sie ungeduldig: »Und wie geht's dir sonst so? Immer noch so langweilig an der Wulle?«

»Nee.« Wer zugibt, dass er sich verschlechtert hat, gilt als Verlierer, hatte der Vater mal gesagt. Lika wollte nicht schon wieder verlieren. Und schon gar nicht gegen Moni, die gestern erst 3:1 gewonnen hatte. »Hier ist jetzt ganz schön was los«, schwindelte sie. Und dann fügte sie noch hinzu: »Hab 'n Jungen kennen gelernt. Bob heißt er.«

Eine Sekunde lang schwieg Moni. Dann fragte sie: »Wie sieht er denn aus?«

Lika machte Bob zum Superbob, aber sie schämte sich nicht dafür. Moni durfte ruhig ein bisschen neidisch werden.

Wieder schwieg Moni eine Weile. »Was Festes?«, fragte sie dann und gab ihrer Stimme einen vertraulichen Klang.

»Weiß noch nicht«, gab Lika zu. »Mal sehen.« Doch dann war sie froh, dass es genau in diesem Moment an der Tür klingelte. »Ich muss aufhören«, rief sie in den Hörer. »Es kommt wer.«

»Wer?«, fragte Moni. »Er?«

»Vielleicht.« Lika legte schnell auf und lief zur Tür, um durch den Spion zu gucken. Ein junger Mann mit blondem Schnurrbärtchen stand draußen. »Was ist denn?«, rief Lika.

»Eilbrief!« Der junge Mann hielt ihr einen Brief vor das Guckloch.

Lika zögerte erst einen Moment. Es gab da ja die übelsten Tricks. Aber dann öffnete sie die Tür so weit, wie die Sicherheitskette es zuließ. Der junge Mann grinste sie an, reichte den Brief durch den Spalt und lief schon wieder die Treppe hinunter.

Lika schloss die Tür und besah sich den Brief.

Angelika Schmidt stand auf dem Briefumschlag – in einer Kinderhandschrift! Und es klebte eine DDR-Briefmarke drauf … Das musste Matzes Antwort sein!

Sie drehte den Brief herum, um den Absender zu lesen – und stutzte: *Fritz Haase?* Wer war denn das? Schnell riss sie den Umschlag auf und begann den Brief zu lesen.

Liebe Lika, stand da, *ich habe deinen Brief erhalten und mich sehr darüber gefreut. Zwar habe ich nicht gedacht, dass meine Flaschenpost so schnell gefunden wird, aber das macht nichts.*

Wenn du mir wieder schreibst, schreib lieber an Fritz Haase, Dammweg 18. Das ist Opa Haase, dem habe ich deinen Brief gezeigt. Meine Mutter ist ein bisschen komisch, weil du im Westen wohnst. Ich bin aber für Völkerverständigung. Du auch? Opa Haase hat noch einen alten Stadtplan, da ist deine Straße drauf. Deshalb weiß ich jetzt, wo du wohnst. Ist es schön bei euch? Bei uns ist es schön.

Lika spürte, wie ihr heiß wurde. Dieser Matze hatte ihr einen richtig langen Brief geschrieben, nicht nur so ein kurzes Wie-geht's-Briefchen. Sie lief ins Wohnzimmer, setzte sich auf die Couch und las weiter: *Auf Opa Haases Stadtplan habe ich zum ersten Mal gesehen, dass euer Berlin genauso groß ist wie unser Berlin. Und gemeinsam haben wir die meisten Brücken, hat Opa Haase erzählt, viel mehr als Venedig, und da gibt's schon viele.*

Als Opa Haase noch ein Kind war und später, als er schon erwachsen war und selber Kinder hatte, da gab's noch keine Grenze zwischen euch und uns. Da war er noch in ganz Berlin zu Hause und ist mit der S-Bahn auch oft bei dir vorbeigefahren. Ich meine an der Straße, in der du wohnst. Mein Vater ist übrigens S-Bahn-Zugführer. Und meine Mutter ... Aber das schreibe ich dir lieber nicht. Sie will das sicher nicht.

Lika ließ sich mit dem Brief in den Händen ins Kissen fallen und las gleich weiter:

Was machen deine Eltern? Darfst du mir das schreiben? Du musst nicht, wenn du nicht willst oder nicht darfst.

Dass du einen Freund hast, finde ich schön. Ich habe auch einen, er heißt Gerrit. Wir nennen ihn aber Pipusch. Warum, weiß ich nicht.

Türken soll's bei euch ja viele geben. Aber ich habe nichts gegen sie. Ich finde, alle Menschen sind gleich. Frau Merz, unsere Klassenlehrerin, sagt das auch.

Schreib mir bald mal wieder. Und nur an Opa Haase, ja? Pipusch lässt dich auch schön grüßen. Dein Matthias.

P.S. Opa Haase hat gesagt, dass die Post von uns zu Euch immer sehr lange dauert. Deshalb schicke ich dir einen Eilbrief. Das Porto bezahlt Opa Haase. Ein Bild von mir schicke ich dir beim nächsten Mal. Brauche erst ein neues. Auf den letzten Fo-

tos bin ich noch ziemlich klein. – Dein Bild gefällt mir gut. Schön bunt.

Noch ein P.S. In zwei Monaten werde ich auch zwölf.

Lika legte den Brief weg und starrte an die Wohnzimmerdecke. Dann nahm sie den Brief wieder auf und las ihn noch einmal. Und noch mal. Danach legte sie ihn sich auf den Bauch und dachte wieder nach.

Dieser Brief! Er war so anders als alle Briefe, die sie bisher erhalten hatte. Er kam aus einer ganz anderen Welt und er war irgendwie ehrlich … Obwohl dieser Matze nicht schrieb, was seine Mutter arbeitete, und obwohl so viel hinter den Zeilen steckte, was sie nicht verstand, war es ein unheimlich ehrlicher Brief. Wie dumm war dagegen ihr Brief an ihn, ihr bescheuerter Hallo-Matze-Brief!

Schade, dass er noch kein Foto hatte. Jetzt, nach diesem Brief, sah Matze in ihrem Kopf ja schon wieder ganz anders aus. Weder braunhaarig noch hellblond, mehr so schmutzig blond … Und seine Augen stellte sie sich jetzt blau oder blaugrau vor.

Lika nahm den Brief noch einmal, las ihn zum vierten Mal und dachte wieder nach. Ob dieser Brief von den Kontrolleuren gelesen worden war – im Osten oder im Westen oder auf beiden Seiten? Und ob Matzes Mutter deshalb nicht wollte, dass er ihr schrieb, als was sie arbeitete? – Aber sie wollte ja überhaupt nicht, dass er ihr schrieb. Deshalb dieser Opa Haase …

Da war so vieles nur schwer zu verstehen. Ob sie mal mit der Mutter darüber reden sollte? – Später vielleicht. Jetzt wollte sie sich erst mal freuen. Matze hatte ihr ja geschrieben, dass er nicht traurig war, dass seine Flaschenpost nicht ins Meer getrieben war. Und ihr Foto gefiel ihm. Schön bunt, hatte er geschrieben.

Lika musste kichern und wurde rot, obwohl sie ganz allein war. Roter Pullover auf grüner Wiese, viel bunter ging's wirklich nicht.

Dann wurde sie wieder ernst: Wieso war die Wullenweberstraße nur auf dem alten Stadtplan von diesem Opa Haase? Gab's im Osten keine neuen Stadtpläne? – Doch bestimmt, die musste es geben. Aber dann war da nur Ost-Berlin drauf und nicht West-Berlin. Das war gemein, das war, als ob es sie gar nicht gäbe.

Das mit den Brücken wusste sie schon, damit gab Vater oft an. Und dass es früher keine Grenze zwischen den beiden Berlins gegeben hatte, wusste sie auch. Nur vorstellen konnte sie sich das nicht. Auch jetzt nicht. Gäbe es die Grenze nicht, lebten Matze und sie ja wirklich in *einer* Stadt ... Und sein Vater war S-Bahn-Zugführer. Eigentlich nichts Tolles, aber auf jeden Fall auch nichts, was gar keinen Spaß machte. Das sagte auch die Mutter immer: Wichtig ist nicht nur das Geldverdienen, wichtig ist auch der Spaß an der Arbeit. In dem Jeansladen hatte ihr die Arbeit Spaß gemacht, in Herrn Schröders *Damenwelt* verdiente sie bloß Geld.

Jemand schloss die Tür auf. Lika fuhr hoch. Wer war das? Um diese Zeit kamen weder der Vater noch die Mutter nach Hause.

»Lika? Bist du da?«

Der Vater! Es war der Vater. Schnell schob Lika den Brief unters Couchkissen und lief in den Flur.

Der Vater sah müde aus. »Mir geht's nicht gut«, sagte er, nachdem er Lika zur Begrüßung geküsst hatte. »Mein Magen spielt wieder mal verrückt.«

Der Vater hatte oft mit dem Magen zu tun. Wegen all dem Stress und dem Ärger, den er im Büro hatte, sagte er. Die

Mutter aber sagte, seine ungesunde Ernährungsweise komme noch dazu: mehr Kognak als Kartoffeln, mehr Bierchen als Brötchen.

»Leg dich hin«, bat Lika. Wenn der Vater so aussah, hatte sie immer Angst um ihn. »Ich mach dir Pfefferminztee.«

»Gib mir erst den Brief«, sagte der Vater.

»Welchen Brief?« Lika erschrak. Konnte der Vater etwa hellsehen? Wie wollte er denn wissen ...

»Ich hab die Frau Schönholz getroffen«, erklärte der Vater. »Sie hat mir erzählt, dass vor einer halben Stunde ein Eilbrief gekommen ist.«

Die Schönholz! Immer klebte sie am Spion, eine richtige Hauswanze war sie.

»Na, was ist?« Der Vater verzog vor Schmerzen das Gesicht. »Ist nun ein Brief gekommen oder nicht?«

»Der Brief ...«, sagte Lika leise, »der ... der war für mich.«

»Für dich?«, staunte der Vater. »Ein Eilbrief?«

Lika blieb nichts weiter übrig, als dem Vater alles zu erzählen. Der Vater hörte zu, erst nur ungläubig, dann langsam kapierend. Zum Schluss wurde er so nachdenklich, dass er sogar vergaß, sich den Bauch zu reiben. Aber bevor er irgendetwas dazu sagen konnte, holte Lika Matzes Brief und las ihn vor.

Der Vater hörte weiter zu, doch seine Miene wurde immer ernster, die Falten auf seiner Stirn immer steiler. Als Lika den Brief dann wieder zusammenfaltete, blickte er sie entsetzt an. »Aber was macht ihr denn da?«, rief er. »Ihr bringt die arme Frau ja in Teufels Küche.«

»Wieso?« Lika begriff nicht.

»Ja, kannst du denn nicht lesen?«, sagte der Vater ärgerlich. »Sie darf keine Westkontakte haben. Deshalb hat sie ihrem

Sohn verboten, dir zu schreiben. Dieser Opa Haase muss ja schon böse verkalkt sein, da auch noch mitzumachen.«

»Aber ...« Lika hob hilflos die Schultern und ließ sie wieder fallen. »Was ist denn dabei, wenn wir uns schreiben?«

»Was dabei ist?« Der Vater rieb sich wieder den Bauch. »Wenn das rauskommt, kann seine Mutter in der DDR nichts mehr werden.«

Lika dachte nach. Das sollte nun einer begreifen: Sie ein *Kontakt!* Lika, die Sprotte, ein Westkontakt! Aber so ganz Unrecht hatte der Vater wahrscheinlich nicht. Warum sonst die Postkontrollen?

»Kinder, Kinder!« Der Vater verzog das Gesicht – ob vor Schmerzen oder vor Entsetzen konnte Lika nicht erkennen. »Warum hört ihr denn nicht auf eure Eltern? Von solchen Sachen habt ihr doch keine Ahnung.«

»Dürfen wir – ich meine, wir im Westen – dürfen wir denn West... ich meine Ostkontakte haben?« Lika sah bald nicht mehr durch mit diesem Ost-West und West-Ost.

»Aber natürlich!«, antwortete der Vater. »Wir leben doch in einem freien Land.« Doch dann verbesserte er sich: »Ich meine, Mutter und ich und du, wir dürfen natürlich. In manchen anderen Berufen ist das auch nicht so sehr erwünscht.«

Lika überlegte eine Zeit lang, dann faltete sie den Brief zusammen und wusste nicht mehr, was sie damit tun sollte.

Der Vater zögerte. »Und was machst du jetzt? Du wirst ihm doch wohl nicht noch mal schreiben?«

Lika sah den Brief an, sah den Vater an, dann drehte sie sich plötzlich um und lief fort.

»Lika!«, rief der Vater. »Mach keinen Mist! Du verstehst das alles ...« Aber Lika war schon aus der Tür und hastete das Treppenhaus hinunter.

Reisen in die Vergangenheit
Am Pipa – am Popo – am Potsdamer Platz
Weiter als der Ozean
Arsch in zwei Hälften

Matze erging es genauso wie Lika. Nie hatte er sich früher um die Post gekümmert. Ob ein Brief lange brauchte oder nicht, hatte ihn nicht sonderlich interessiert. Außer Postkartengrüßen aus den Ferien hatte er auch nicht viel Post verschickt. Und nun hatte er sogar einen Eilbrief losgeschickt. Und noch dazu in dieses West-Berlin hinüber, das er nur aus dem Fernsehen kannte.

Er wusste, dass es unmöglich war, schnell eine Antwort zu bekommen. Trotzdem hoffte er schon drei Tage, nachdem er seinen Brief abgeschickt hatte, auf neue Post von Lika. Opa Haase lachte darüber nur. »Wenn die Kleene drüben ihren Brief ooch per Express schickt, haste deine Antwort frühestens in zehn Tagen. Also jedulde dir mal noch 'ne Weile.«

Er sagte es, aber er zweifelte daran, dass Lika per Express antworten würde. »Das Porto is drüben viel teurer als bei uns. Ob sie sich 'n Eilbrief leisten kann, hängt von ihrem Taschenjeld ab.«

Opa Haases Schwester in West-Berlin war auch Rentnerin und klagte oft über die hohen Preise drüben. Fing sie damit an, so hatte Opa Haase Matze und Pipusch verraten, dann jammerte er einfach mit – über seine niedrige Rente. »Solange wir noch was zu jammern haben, sterben wir nicht«, hatte er gesagt. »Und wenn nur einer jammert, ist's für den anderen langweilig.«

Matze und Pipusch hockten nun fast jeden Nachmittag bei Opa Haase oben. Er wusste gar nicht mehr, was er sie noch erledigen lassen sollte. Aber Matze und Pipusch störten sich nicht daran. Sie kamen einfach und fragten, ob Opa Haase vielleicht Kohlen brauchte – mitten im Sommer! – oder Kartoffeln oder was von der Kaufhalle. In Wirklichkeit wollten sie natürlich wissen, ob Post gekommen war. Opa Haase wusste das und schmunzelte. Aber da er nicht gerne allein war, freute er sich über den Besuch. Und da sie irgendwas miteinander anfangen mussten, wenn sie sich schon gegenübersaßen, hatte er irgendwann zu erzählen angefangen – von früher, wie es damals in ihrer Stadt ausgesehen hatte.

Mit seinem zittrigen, runzligen Zeigefinger klapperte er auf seinem alten Stadtplan die Straßen ab und erzählte Matze und Pipusch von allerlei Sehenswürdigkeiten, die mal als Weltsensationen galten, und von den berühmten Gebäuden, die im Krieg zerstört worden waren. Manchmal kramte er dazu einen vergilbten Zeitungsausschnitt hervor oder ein bräunliches Foto, auf dem viele altmodisch gekleidete Menschen zu sehen waren.

Matze und Pipusch lauschten mit angehaltenem Atem. Vor diesen alten Dingen hatten sie Respekt. Fast ehrfürchtig nahmen sie sie in die Hand, mit feierlicher Miene betrachteten sie sie. Da steckte Erlebtes hinter, das spürten sie.

Spaß machte es auch, die neuen Namen für die alten Straßen herauszufinden. Die Karl-Liebknecht-Straße zum Beispiel hatte früher Kaiser-Wilhelm-Straße geheißen und die Dimitroffstraße Danziger Straße.

Manche Straßen aber gab es gar nicht mehr – wie zum Beispiel die Neue Königsstraße oder die Heiliggeiststraße. Entweder waren sie im Krieg zerbombt worden oder man hatte sie abgerissen, um neuen, größeren Straßen Platz zu machen.

Am schönsten aber war es, Straßen oder Plätze zu entdecken, die es immer noch gab und die auch noch so hießen wie damals: die Friedrichstraße oder die Prenzlauer Allee, in der dann später Opa Haases erster Sohn geboren wurde, vor allen Dingen aber den Alexanderplatz, den Matze und Pipusch so mochten, weil da immer so viel Betrieb war.

»Betrieb?« Opa Haase guckte dumm, als Matze das sagte. »Aber Junge, da is doch gar nichts los. Jeh doch mal abends um zehn über'n Alex, da denkste doch, du latschst durch die Sahara, so tot is da alles.«

Matze und Pipusch widersprachen heftig. Am Alex standen der Fernsehturm, das Centrum-Warenhaus, die Weltzeituhr. Und das rote Rathaus, der Neptunbrunnen und der Palast der Republik waren auch nicht weit. Viele Touristen liefen da herum, Ausländer und Sachsen, am Alex war immer was los.

»Ach Jottchen!« Opa Haase seufzte. »Ihr seid eben nichts jewöhnt, Kinder! Nee, nee, det früher, det war der wahre Alex.« Und er erzählte den beiden Jungen, dass man in seiner Jugend noch um Mitternacht auf dem Alex Eis essen konnte, dass dort mit bunten Werbeaufschriften versehene Doppelstockbusse Wettrennen gefahren wären und die Straßenbahnen gebimmelt hätten, als wollten sie Konzerte geben. Matze und Pipusch versuchten, sich diesen Alex vorzustellen, aber so richtig gelang ihnen das nicht.

Noch mehr ins Schwärmen aber geriet Opa Haase, wenn er

vom Potsdamer Platz erzählte. Der Potsdamer, der im Krieg so böse zerstört worden war, dass fast nichts von ihm übrig blieb, war immer sein Lieblingsplatz gewesen. »Am Pipa – am Popo – am Potsdamer Platz«, sang er Matze und Pipusch mit seiner heiseren Stimme vor, »da fand ich 'nen Schatz ...«

Das stimmte sogar, er hatte es ihnen schon oft erzählt: Am Potsdamer Platz hatte er vor über fünfzig Jahren seine Berta kennen gelernt, die nun schon seit so langer Zeit draußen auf dem Baumschulenwegener Friedhof lag. »Im Haus Vaterland war's. Im Tanzlokal. Willste mit mir tanzen, Kleene, hab ick se jefragt. Nur wenn de mir nicht uff de Beene latschst, hat se jeantwortet, ick hab neue Schuhe an. Da hab ick jewusst: Die is richtig, die kannste heiraten.«

Matze und Pipusch hätten sich den Potsdamer Platz – früher mal der belebteste Platz Europas, wie Opa Haase stolz sagte – gerne mal angesehen. Aber Opa Haase erzählte, dass dieser Platz jetzt von der Grenze zerschnitten wurde und es außer wildem Gras und Hasen dort nichts mehr zu sehen gab. Und selbst das Gras und die Hasen wären nur vom Westen aus zu sehen. Dort stünde ein Podest, von dem aus die westlichen Politiker öfter mal zum Potsdamer rüberschauten. »Erst haben se die Stadt jeteilt«, sagte er böse und meinte damit alle Politiker, denn auch die im Osten würden ja immer wieder Blumen an die Grenze tragen, »und denn kieken se sich an, wie 'ne jeteilte Stadt aussieht.«

Matze zweifelte manchmal an dem, was Opa Haase sagte. Das mit dem Gitter im Wasser hatte ja auch nicht gestimmt. In anderen Momenten aber spürte er, dass Opa Haase eine Wahrheit wusste, die nicht in der Schule gelehrt oder im Fernsehen gezeigt wurde, und das gefiel ihm. Er hätte nur gern genau gewusst, was denn an dem, was Opa Haase erzählte, die

Wahrheit war und was nicht. Pipusch stellte sich solche Fragen nicht. Er war begeistert von den alten Geschichten, die Opa Haase ihnen erzählte. Er hatte im Fernsehen mal einen Film gesehen, in dem Kinder mit einer Zeitmaschine eine Reise in die Vergangenheit unternahmen. Das hätte er auch gern getan, mitten hinein in Opa Haases Berlin.

Opa Haase schmunzelte, als er das hörte, aber dann sagte er bitter: »Da darfste aber nich zwischen 1914 und 1918 landen, denn da war Krieg und in Berlin wurde vor Hunger und Kälte jestorben. Und zwischen 1933 und 1945 würde ick an deiner Stelle lieber ooch nich landen. Da war am Ende nicht bloß Krieg, da schlitterten wir mitten durch die Hölle.«

Pipusch nickte still. Ja, von dieser Zeit hatte er in der Schule gehört. In dieser Zeit wollte er wirklich lieber nicht landen. Dann aber sah er wieder den Stadtplan an, all die vielen Linien, Zeichen und Farben, und fragte leise: »Ob wir irgendwann mal wieder 'ne richtige Stadt werden?«

Opa Haase guckte erst versonnen den Stadtplan und dann Pipusch an. »Vielleicht … in fuffzig Jahren. Ick erlebe det jedenfalls nich mehr und eure Eltern ooch nich, da bin ick mir janz sicher.« Er überlegte einen Moment und fügte dann noch leise ein trauriges »Leider« hinzu.

An den Abenden jener Tage machte Matze sich einen Strich auf seinen Kalender. Zehn Tage mindestens, hatte Opa Haase gesagt. Also waren es jetzt noch sieben, noch sechs, noch fünf, noch vier …

Pipusch zählte mit. Manchmal hielt er in der Schule mitten im Unterricht ein paar Finger hoch. Matze wusste dann, was er damit meinte: So viele Tage waren es noch! Er nickte Pipusch zu und grinste. Das war schon eine tolle Sache, diese Brieffreundschaft, von der niemand was wissen durfte.

An die großen Ozeane dachte Matze jetzt nicht mehr. Er hatte einfach keine Zeit dafür. Jene andere Welt, so dicht bei ihm und doch weiter entfernt als der fernste Ozean, hielt ihn gefangen. War er allein zu Hause, stellte er den Fernseher an und sah Westfernsehen. Das hatte er früher nie getan. Es war ihm egal gewesen, ob Ost- oder Westfernsehen, wenn nur das Programm gut war. Jetzt sah er besonders gerne die westliche *Abendschau*, weil darin über Likas Berlin berichtet wurde. Er entdeckte den anderen Teil seiner Stadt von Tag zu Tag mehr, und es kam ihm immer merkwürdiger vor, dass jene Welt, die ihm so fremd war und doch irgendwie so vertraut erschien, ganz dicht bei ihnen war.

Die Eltern wussten nichts von dem, was in Matze vorging. Die Mutter hatte immer noch keine Ahnung davon, dass er Likas Brief doch noch gelesen hatte. Und noch weniger wäre sie auf die Idee gekommen, dass er ihn sogar beantwortet hatte. Sie hatte sich längst für die Aufgeregtheit, in der sie den Brief zerriss, bei ihm entschuldigt, hatte gesagt, dass sie einen Fehler gemacht hätte – und ihn gebeten, nun nicht etwa auch einen Fehler zu machen, sondern ihr zu vertrauen. Sie wisse schon, was gut für ihn sei. Damit glaubte sie, die Angelegenheit ein für allemal erledigt zu haben. Er hatte die Mutter nur gefragt, ob er dem Vater auch vertrauen dürfe?

Die Frage hatte sie verwirrt, aber dann hatte sie »natürlich!« gesagt. »Vater denkt wie ich: Das hier ist der Staat, in dem wir leben. Und wir leben gern hier. Nur in Kleinigkeiten sind Vater und ich verschiedener Meinung.« Und dann hatte sie gelächelt und hinzugefügt: »Das geht allen Ehepaaren so.«

Der Vater hatte nie wieder nach den Briefschnipseln gefragt. Und er wollte auch nicht wissen, ob Matze den Brief beantwortet hatte. Er guckte nur manchmal nachdenklich und vielleicht auch ein bisschen neugierig. Aber von selbst begann Matze nicht, darüber zu reden. Er war nicht sicher, ob der Vater gut fand, was Opa Haase, Pipusch und er da taten.

Dann kam das, was für Matze und Pipusch zu einem Höhepunkt ihrer Reise in die Vergangenheit wurde. Es begann mit einem Spaziergang zur S-Bahn-Station Treptower Park. Sie wollten sich die Grenze zu West-Berlin endlich mal ganz bewusst ansehen. Wenn sie bisher daran vorbeigekommen waren, hatten sie nie richtig hingeschaut, weil die Grenze sie nicht besonders interessiert hatte. Es war ja immer selbstverständlich gewesen, dass es hinter dem Treptower Park nicht mehr weiterging. Jetzt wussten sie aus Opa Haases Stadtplan und seinen Erzählungen, dass hinter der Grenze das Schlesische Tor kam und dass dort heute so viele Türken wohnten, dass die Straßen dort an Istanbul erinnerten. Das fanden sie interessant. Alles, was mit Lika und dem anderen Berlin zusammenhing, fanden sie jetzt interessant.

Doch sie kamen nicht an die Grenze heran. Schon mehr als hundert Meter davor kündigte ein Schild das Grenzgebiet an. Weitergehen war verboten. Enttäuscht zogen sie wieder ab und wanderten an der Spree entlang zum Plänterwald zurück. Aber es war wie verhext: Wenn Matze jetzt ins Wasser sah, dachte er nur noch an eines: Das Wasser floss nach West-Berlin, floss irgendwann unter dem Wullenwebersteg hindurch – und vielleicht gingen Lika und ihr Freund Bob über den Steg und sahen es vorbeifließen.

Pipusch ahnte, woran Matze dachte. »Ich weiß, von wo aus wir rübergucken können«, sagte er.

»Vom Riesenrad aus?«, fragte Matze wenig begeistert. Vom Riesenrad im Plänterwald aus konnte man ziemlich weit gucken, aber eine Fahrt damit war nicht gerade billig. Und ob sie von dort aus bis nach West-Berlin gucken konnten, war noch die Frage.

»Nee«, sagte Pipusch und grinste schlau. »Vom Fernsehturm aus.« Vom Fernsehturm aus? Matze war verdutzt. Klar, vom Fernsehturm aus konnte man ganz Berlin sehen. Aber eine Fahrt hoch auf die Aussichtsplattform war noch viel teurer als eine Fahrt mit dem Riesenrad.

»Ich lade dich ein.« Pipusch guckte verlegen. Der Besucher, der diesmal bei ihnen lebte, blieb ziemlich lange – und war ihm besonders unsympathisch. Zum Trost dafür hatte ihm die Mutter einen Zehnmarkschein zugesteckt. Matze zögerte ein paar Sekunden, dann nahm er die Einladung an. Warum auch nicht? Pipusch freute sich ja, mit ihm auf den Fernsehturm hinaufzufahren. Und außerdem waren sie Freunde, richtige Freunde, da wäre es albern gewesen, sich lange zu zieren.

Gleich am Sonntagnachmittag fuhren sie los, mit der S-Bahn bis zum Alexanderplatz. Vorher waren sie noch bei Opa Haase gewesen, erstens, um fragend zu gucken und ein schmunzelndes Kopfschütteln zu ernten, und zweitens, um sich von ihm den alten Stadtplan auszuleihen. Wie sollten sie denn sonst wissen, was sie sahen, wenn sie keinen Stadtplan für West-Berlin hatten?

Vor dem Fernsehturm hatte sich schon eine lange Schlange gebildet. Matze und Pipusch stellten sich hinten an und waren nach einer Stunde dran. Der Fahrstuhl sauste hoch, es klickte in den Ohren und dann standen sie auf der Aussichtsplattform, und die zwei Stadthälften lagen wie eine einzige riesige Spielzeugstadt unter ihnen.

»Wo ist denn die Grenze?«, flüsterte Matze aufgeregt.

Ja, wo war sie? Sie war einfach nicht zu sehen von hier oben. Jedenfalls nicht ohne Fernglas.

»Da!«, rief Pipusch. »Das ist das Brandenburger Tor. Da ist der Arsch in zwei Hälften.«

Die Leute neben Matze und Pipusch lachten laut. Matze stieß Pipusch an, der wurde rot und guckte schnell wieder in seinen Stadtplan. Matze aber sah nun zum Brandenburger Tor hin. In den Häusern hinter dem Grün, das der Tiergarten sein musste, da lebte Lika also ... Dann wohnten sie doch in einer Stadt, das sah er nun deutlich.

Pipusch faltete Opa Haases alten Stadtplan hin und her. Die Wullenweberstraße, er wollte endlich die Wullenweberstraße entdecken. »Da!«, rief er nach einiger Zeit wieder und deutete ein klein wenig nach rechts hinter das Brandenburger Tor. »Da muss sie sein.«

Matze hielt eine Hand vor die Augen. Die Sonne blendete ein bisschen. Natürlich konnte er die Straße selbst nicht erkennen, aber er entdeckte den Bogen, den die Spree an dieser Stelle machte ... Und war da nicht auch ganz schwach eine Brücke zu erkennen?

»Der Wullenwebersteg«, flüsterte Matze und streckte die Hand aus. »Guck! Da ist er.«

Pipusch nickte nur. Ja, er sah die Brücke auch. Und deshalb war er jetzt besonders stolz, dass er die Idee mit dem Fernsehturm gehabt hatte. »Bestimmt hat sie unseren Brief schon«, flüsterte er zurück.

»Klar!« Matze war nun genauso stolz. Es störte ihn nicht, dass Pipusch »unseren Brief« gesagt hatte. Schließlich hatte Pipusch seinen Brief ja gelesen und gut gefunden und gehörte irgendwie mit dazu.

Pipusch entdeckte dann auch noch den Potsdamer Platz und behauptete, sogar den Wannsee zu sehen. Aber den sah Matze nicht. Und die Leute, die neben ihnen standen und immer noch belustigt zuhörten, lachten diesmal so laut, dass Matze und Pipusch sich lieber verdrückten und von einer anderen Stelle auf die Stadt hinabsahen. Hier konnten sie bis zum Plänterwald schauen und sogar das Riesenrad erkennen.

Matze blickte zur Spree hin, zu der Stelle, wo er seine Flaschenpost ins Wasser geworfen hatte und verfolgte ihren Weg bis hin zum Wullenwebersteg. Er fand nun, dass seine Flasche doch eine ziemlich weite Strecke zurückgelegt hatte. Sie hätte ja schon viel früher aus dem Wasser gefischt werden können. Und dann hätte ihm vielleicht ein Ost-Berliner Mädchen geschrieben. Die hätte er dann zwar besuchen können, aber so interessant wäre die Sache lange nicht geworden.

Wieder unten, überkam Matze auf einmal ein komisches Gefühl. Wieso wurde aus West-Berlin so ein Geheimnis gemacht? Es gehörte doch irgendwie mit zur Stadt. Jeder konnte das sehen.

»Das ist alles Politik«, meinte Pipusch und machte ein Gesicht wie seine Mutter, wenn der Besucher mal wieder nicht der Richtige gewesen war. »Da kannste nischt machen.«

Damit hatte Pipusch sicher Recht. Aber seitdem Lika ihm geschrieben hatte, interessierte Matze sich für Politik. Sie hatte ja nun auch etwas mit ihm zu tun, die Politik der Erwachsenen.

Pipusch fand Politik auch spannend. Nur gab's richtige Politik in der Schule ja leider nicht. Wenn es sie gegeben hätte, hätte er neben Musik vielleicht noch ein zweites Fach gehabt, in dem er glänzen konnte. Im Auswendiglernen war er nicht so gut.

Matze nickte still. Pipusch hatte Recht, richtige Politik gab's in der Schule nicht. Es wurde ihnen immer nur was erzählt, was sie dann nachplappern durften. Und das machte außer Markus, der gern auswendig lernte, keinem in der Klasse Spaß.

Sehr nachdenklich klingelten Matze und Pipusch dann wieder bei Opa Haase, um ihm seinen Stadtplan zurückzubringen. Doch was war das? Als Opa Haase öffnete, hielt er einen Briefumschlag in der Hand. Er strahlte und wedelte ihnen damit vor der Nase herum.

»Doch 'n Eilbrief!«, rief er. »Hab ick det nich gleich jesagt?«

Er hatte es nicht gesagt, aber Matze und Pipusch war das egal: Was für ein toller Tag! Erst hatten sie die Gegend gesehen, in der Lika lebte, und jetzt bekamen sie auch noch einen Brief von ihr. Mehr durften sie wirklich nicht erwarten; jedenfalls nicht an einem einzigen Tag! Natürlich lasen sie den Brief gleich. Zuerst Matze, dann Pipusch und dann wieder Matze – diesmal laut, für Opa Haase.

Es war ein schöner Brief. Aber irgendwie klang er ängstlich, war längst nicht so lustig wie Likas erster Brief. Und dann schrieb sie auch noch, dass Matze die nächste Antwort nicht an ihre Adresse, sondern an ihren Freund schicken sollte – weil ihre Eltern Angst hatten, dass Matzes Mutter wegen der Briefe Schwierigkeiten bekommen könnte.

»Is ja wie bei uns«, staunte Pipusch. »Keiner darf was wissen.«

»Ach wat!« Opa Haase nahm Likas Brief nicht so tragisch. »Die Kleene hat Angst bekommen, weil ihr ihre Eltern irjendwat Komischet über uns erzählt haben. Macht ihr mal 'n bisken Mut, schreibt ihr, dass uns keener wat tut, außer wir uns selber.«

Matze und Pipusch nickten still. Gleich morgen würden sie Lika wieder schreiben. Aber nachdenklich waren sie immer noch. Likas Brief verriet, da war noch mehr zwischen ihnen als nur eine Mauer, viel mehr.

Eine Ausladung
Ein Slip ist kein Bikini
Heiraten?
Komm doch mal rüber

Die Tage vergingen und der letzte Schultag vor den großen Ferien kam heran. Lika freute sich: Endlich ein paar Wochen ohne Schule, endlich richtig frei sein – obwohl das natürlich auch bedeutete, dass sie nun wochenlang allein zu Hause hockte. Sie flogen dieses Jahr erst im Oktober in die Ferien. Wegen Vaters Arbeit. Dafür sollte es dann bis Griechenland gehen, aber was nützte ihr das jetzt? Die Herbstferien waren noch weit.

Trotzdem: Es gab den Wannsee, es gab den Grunewald, es gab die vielen Freibäder mitten in der Stadt – sie würden sich schon nicht langweilen.

Sie fuhr dann auch tatsächlich fast jeden zweiten, dritten Tag los und Bob fuhr mit. Er hatte ja auch Ferien und seine Eltern hatten die Änderungsschneiderei. Die wollten sie nicht schließen, bevor sie nicht sicher waren, dass ihnen in der Zwischenzeit nicht die Kunden wegliefen. Ferien machten sie sowieso nur, um in die Heimat zu fahren. Und das hatten sie auch schon fast zehn Jahre nicht mehr gemacht, denn erstens war es teuer – all diese vielen Mitbringsel für die Verwandtschaft – und zweitens dauerte es lange.

Bob und Lika hatten miteinander verabredet, jeden Morgen als Erstes aus dem Fenster zu schauen, um gleich zu entscheiden, was sie an diesem Tag unternehmen sollten. Schönes Wetter bedeutete schwimmen fahren. Dann kam Bob gegen neun Uhr vorbei, um Lika abzuholen, und sie musste alles gepackt haben, was sie brauchte. War das Wetter schlecht, kam er nicht. Dann konnte Lika sich wieder hinlegen und weiterpennen. Wenn nicht abzusehen war, wie das Wetter werden würde, kam Bob auf jeden Fall mal vorbei. Dann pfiff er unten und Lika guckte vom Balkon. Und dann beratschlagten sie, was sie mit diesem Tag anfangen wollten. Meistens gingen sie an solchen unentschiedenen Tagen ins Kino oder hockten sich unter die Trauerweide. Das war dann auch wie Kino, weil Bob jede Menge Filme kannte, die er ihr noch nicht erzählt hatte.

Schlimm war es nur bei ganz schlechtem Wetter. Den ganzen Tag lesen konnte Lika nicht. Spätestens nach drei Stunden schlug sie ihr Buch zu und starrte an die Zimmerdecke. Und das Nachmittagsprogramm im Fernsehen war das Allerletzte. Obwohl, manchmal, wenn die Schlecht-Wetter-Langeweile ganz schlimm wurde, schaltete sie so gegen vier doch noch den Fernseher an – allerdings das DDR-Programm. Das tat sie Matze zuliebe. Sie wollte mehr wissen über die Welt, in der er lebte. Aber das Ostfernsehen kam ihr noch langweiliger vor als das Westfernsehen und sie schaltete den Apparat bald wieder aus. Wenn die Leute da drüben wirklich so lebten, wie es im Fernsehen gezeigt wurde, taten sie ihr Leid. Dann verstand sie, weshalb so viele wegwollten.

Überhaupt: Matze! Wenn Lika nun an ihn dachte, hatte sie ein schlechtes Gewissen. Er musste ihren Brief ja jetzt schon lange erhalten haben. Und es war wieder kein schöner Brief geworden. Da hatte die Angst dringesteckt, die der Vater ihr gemacht hatte. Und die Mutter hatte auch nicht viel anders geredet. Man müsse vorsichtig sein mit solchen Kontakten, hatte sie gesagt. Ihre Freundin Trixi hätte drüben eine Bekannte, die im Gefängnis gesessen habe. Und warum? Nur weil sie Flugblätter für den Frieden verteilt habe und die DDR alle, die eine eigene Meinung vom Frieden hätten, mit Misstrauen beobachtete. Lika trug den Brief an Matze immer bei sich. Sie hatte wieder eine Abschrift davon angefertigt, um auch hinterher noch lesen zu können, was sie geschrieben hatte. Aber wenn sie den Brief dann noch mal las – im Schwimmbad, an der Spree oder zu Hause auf der Couch –, wurde das blöde Gefühl in ihr nur noch stärker. *Lieber Matze,* hatte sie geschrieben, *vielen Dank für deinen langen Brief. Er hat mir sehr gut gefallen. Aber ein bisschen Angst hat er mir auch gemacht. Wenn deine Mutter nicht will, dass wir uns schreiben, sollten wir es vielleicht lieber bleiben lassen. Oder? Nachher passiert euch noch was.*

Ich finde es gut, dass du nichts gegen Ausländer hast. In unserer Klasse gibt es ein paar Spinner, die schreien sogar »Ausländer raus« und so was. Wie ist es bei euch denn so in der Schule? Habt ihr tolle Lehrer? Wir haben ein paar tolle, aber die meisten liegen mir nicht besonders.

Am liebsten habe ich Physik und Mathe. In Englisch bin ich ziemlich schlecht. Aber da haben wir auch eine besonders doofe Lehrerin. Die zieht sich an wie die Königin Elisabeth. Aber nun gibt's bald große Ferien, darauf freue ich mich riesig. Du auch?

Meine Mutter arbeitet als Verkäuferin in einem Modegeschäft. Sie würde aber viel lieber wieder in einem Jeansladen arbeiten. Mein Vater arbeitet bei einer Versicherung. Da muss er viele Überstunden machen.

Meine Eltern haben nichts dagegen, dass ich dir schreibe. Sie wollen es nur wegen deiner Mutter nicht. Damit sie keine Schwierigkeiten bekommt …

Wenn Lika beim Lesen an diese Stelle kam, wurde ihr immer ganz komisch. Was wusste sie denn schon vom Leben da drüben? Vielleicht hatten die Eltern ja Recht und Matze und sie beschworen mit ihren Briefen nur Ärger herauf. Wenn ihre Briefe wirklich kontrolliert wurden, merkten die Kontrolleure beim Lesen ja gleich, dass sie beide unter falschen Adressen schrieben.

Sie hatte Matze trotzdem geschrieben, hatte es einfach nicht fertig gebracht, ihn ohne Antwort zu lassen. Zum Schluss aber war sie richtig traurig geworden. Deshalb klangen ihre letzten Zeilen fast wie ein Abschied. *Lieber Matze,* hatte sie den Brief beendet, *ich würde mich sehr freuen, wieder von dir zu hören. Wenn du mir aber lieber nicht mehr schreiben willst, bin ich dir bestimmt nicht böse.*

Das war eine richtige Ausladung. Sie hatte es aber stehen lassen und nur noch schnell Bobs Adresse hinzugefügt, für den Fall, dass Matze ihr doch weiter schreiben wollte. Und nun? Nun hoffte sie, dass er ihr wieder schrieb, hoffte es jeden Tag mehr und ärgerte sich über ihren blöden Brief. Jetzt waren drei Wochen um und immer noch keine Antwort gekommen. Und dazu regnete es nun auch schon den dritten Tag. Schlecht gelaunt stand Lika an diesem Morgen am Fenster und fand die Welt so öde wie noch nie. Sie verkroch sich wieder ins Bett und zog die Decke über den Kopf. Am besten, sie verschlief diesen grauen Tag.

Die Mutter sah herein. »Ich gehe jetzt.«

»Hhm«, murmelte Lika unter ihrer Bettdecke hervor. Aber dieses »Hhm« klang eher wie ein »Bleib doch hier. Mach was mit mir. Wir können zusammen einkaufen gehen – oder konditern – oder in den Zoo – oder irgendwas anderes Blödes machen.«

»Lika?« Die Mutter setzte sich zu Lika aufs Bett, zog ihr die Decke weg und streichelte ihr Gesicht. »Denk doch an Griechenland. Du, da ist's im Oktober erst so richtig herrlich.«

»Hhm.« Lika öffnete nicht die Augen. Heute war Donnerstag, der 16. Juli, bis zum Oktober war's noch ein Vierteljahr hin …

»Vielleicht lockert sich's ja auch bald auf und Bob und du, ihr könnt noch was unternehmen.«

Lika machte wieder nur »Hhm« und da zuckte die Mutter die Achseln. »Tut mir Leid. Ich muss jetzt gehen.«

Lika hörte die Tür klappen, die Schritte auf der Treppe, dann war wieder alles still. Bis Mutters Käfer unter dem Fenster vorbeiknatterte. Danach brach die totale Stille aus. Sie schob die Bettdecke von sich und starrte wieder an die Zimmerdecke.

Wenn Matze ihr auch wieder einen Eilbrief geschickt hätte, müsste die Antwort schon lange da sein. Natürlich konnten sie nicht bis in alle Ewigkeit Eilbriefe hin- und herjagen, aber dieses eine Mal hätte er es schon noch tun können … Einfach, um ihr zu zeigen, dass er ihr doch weiter schreiben wollte.

Oder ob Bob längst eine Antwort von Matze erhalten hatte und es ihr nur nicht sagte. Aus Eifersucht vielleicht? Nein, das tat er nicht. So war Bob nicht. Wenn sie nur daran dachte, was er seiner Familie für eine irre Geschichte aufgetischt hatte, damit die sich nicht wunderte, wenn er plötzlich Post aus Ost-Berlin bekam! Zuerst hatte er von einem Schulfreund erzählt, der mit seinen Eltern nach Ost-Berlin gezogen sei. Dieser Schulfreund heiße Fritz Haase und sei sein bester deutscher

Freund. Deshalb wollten sie sich, wenn sie sich nicht mehr sehen konnten, wenigstens schreiben.

Bobs Eltern hatten es gut gefunden, dass er einen deutschen Freund hatte. Und dass er nun Briefe schreiben wollte, fanden sie noch besser, weil das ja nur gut für sein Deutsch sein konnte. Warum dieser Fritz mit seinen Eltern nach Ost-Berlin gezogen war, aber verstanden sie nicht. War es denn im Osten etwa besser als im Westen! Bob hatte nur kurz überlegt, dann war ihm ein Film eingefallen. »Vielleicht sind sie Spione«, hatte er gesagt. Doch das war ein Fehler gewesen, mit Spionen wollten seine Eltern nichts zu tun haben. Schnell hatte er ein zweites Mal überlegt, und ihm war ein anderer Film eingefallen: Fritz' Mutter wollte wieder heiraten, Fritz' neuer Vater aber lebe in Ost-Berlin und dürfe nicht raus, weil er ein hohes Tier sei. Also mussten Fritz und seine Mutter zum neuen Vater in den Osten.

Diese Geschichte hatte glaubwürdig geklungen. Jetzt wunderten sich seine Eltern nur noch über die Story von den Spionen. Und um das zu erklären, hatte Bob eine dritte Geschichte erzählt, diesmal eine, die aus keinem Film herstammte, sondern die er selbst erfunden hatte. Sein Freund Fritz schäme sich dafür, dass seine Mutter und er jetzt im Osten lebten, hatte er weitergesponnen. Fritz wäre lieber im Westen geblieben. Und damit die anderen ihn nicht als Abtrünnigen betrachteten, habe er ihnen erzählt, seine Mutter und er spionierten im Osten für den Westen. – Eine verworrene Geschichte, mit der am Ende Bob selbst nicht mehr ganz klargekommen war. Seine Familie aber war endlich zufrieden gewesen, keiner hatte ihn noch was gefragt. Nur sein Vater hatte misstrauisch geguckt. Doch schließlich hatte er gesagt, die Deutschen wären schon wunderliche Leute – und zwar die Ostdeutschen wie die Westdeutschen. Immer stritten sie sich, immer hetzten und spionierten sie gegeneinander, in Wahrheit aber hielten sie doch zusammen. Das sehe man am besten am Sport. Wenn die Westdeutschen gut Fußball spielten, freuten sich auch die Ostdeutschen, und wenn die Ostdeutschen bei der Olympiade so viele Medaillen holten, wären manche Westdeutsche heimlich so stolz, als wären sie selber Weltrekord gelaufen.

Lika musste grinsen. Phantasie hatte Bob, das musste sie ihm lassen. Aber das Beste an seiner Geschichte war, dass er ihr half, obwohl er es bestimmt lieber gesehen hätte, wenn Matze und sie einander nicht mehr schrieben.

Ein Pfiff auf der Straße! Das war er. Lika sprang auf und stürzte ans Fenster. »Was ist?«, wollte sie rufen, aber dann verschlug es ihr die Sprache. Erstens, weil es nicht mehr regnete und sogar schon ein bisschen die Sonne schien, und zweitens, weil Bob – wie immer an sein Fahrrad gelehnt – einen Brief in der Hand hielt und damit herumwedelte.

»Ich komme runter.«

Schnell flitzte sie ins Bad, spritzte sich das Gesicht nass, trocknete es ab und zog Jeans und T-Shirt an. Als sie dann völlig außer Atem auf der Straße ankam, saß Bob bereits wieder im Sattel, fuhr langsam davon und winkte.

Dieser Miesmann! Er wollte, dass sie dem Brief nachlief – wie ein Hund einem Stück Wurst. Und natürlich würde sie ihn nicht einholen können, auf seinem Fahrrad war er ja viel schneller. Lika machte langsam. Ganz langsam ging sie in die Richtung, in die Bob davongefahren war. Und an der Litfasssäule vor dem Wullenwebersteg blieb sie stehen, als überlegte sie, wo sie nun hingehen sollte.

Bob drehte um und kam zurück. Kurz vor ihr bremste er und hielt den Brief hoch. »Was krieg ich als Belohnung?«

»Gar nichts«, antwortete Lika kühl.

»Zu wenig.« Bob grinste wieder.

Lika entschied sich, das Spielchen mitzuspielen. »Na gut«, sagte sie gelangweilt. »Einen Kaugummi.«

»Immer noch zu wenig.«

»Zwei.«

Bob grinste noch heftiger und schob sich die Haare aus der Stirn. Seine Verlegenheitsgeste. Lika wusste Bescheid. »Du spinnst ja«, sagte sie ärgerlich, tippte sich an die Stirn und ging langsam über den Steg. Dann lehnte sie sich ans Geländer und spuckte ins Wasser. Einen Kuss oder so was wollte Bob von ihr. Da konnte er lange warten.

Bob kam ihr nach, hielt ihr den Brief hin und stieg vom Rad. »War ja bloß Spaß«, sagte er.

»Ick lach ja schon die janze Zeit.« Gnädig nahm Lika den Brief entgegen und riss ihn auf.

Bob lehnte sein Rad ans Geländer und sah ihr zu. Lika war ein bisschen aufgeregt, der Brief fühlte sich sehr dick an. Als sie den Brief aus dem Umschlag zog, fiel noch etwas anderes heraus, fiel auf den Steg – und ins Wasser.

Ein Foto – Matzes Foto!

»Scheiße!« Lika sah, wie das Foto im Wasser forttrieb, und blickte sich Hilfe suchend nach Bob um. Doch der schüttelte nur den Kopf: »In die Brühe kriegste mich nicht noch mal.«

Lika sah wieder ins Wasser, sah das Foto weiter forttreiben und lief kurz entschlossen vom Steg. Sie musste was tun, durfte das Foto nicht noch weiter forttreiben lassen. Und dann zog sie sich auch schon die Schuhe aus, schob in einen davon Matzes Brief und lief weiter hinter dem Foto her. Als sie mit dem Foto auf gleicher Höhe war, zog sie auch ihre Jeans aus. Sollte Bob ruhig glotzen. Erstens war sie schon zwanzig Meter von ihm weg, und zweitens konnte er durch ihren Slip nicht durchgucken.

Vorsichtig ging sie ins Wasser hinein und zögerte. Es wurde schnell tief … und es stank! Aber dann sah sie, wie Matzes Foto immer weiter forttrieb, und ließ sich einfach nach vorn fallen.

Iii, war das Wasser warm, wahrscheinlich ein richtiges Wasserrattenparadies … Immer darauf bedacht, keine allzu heftigen Bewegungen zu machen, schwamm Lika vorwärts. Sie hielt dabei das Kinn so hoch, dass die Wellen, die sie trotz allem machte, nicht an den Mund schlagen konnten. Auf diese Weise kam sie dem Foto nur langsam näher, schluckte aber wenigstens kein Wasser. Und dann hatte sie es endlich geschafft, konnte sogar schon erkennen, dass es ein Schwarzweißfoto war. Vor Aufregung schwamm sie etwas schneller, machte größere Wellen – und stieß das Foto damit wieder ein wenig von sich weg.

»Nicht mit den Armen schwimmen«, rief Bob vom Ufer aus. »Nur mit den Füßen paddeln.«

Eine gute Idee! Lika streckte beide Arme weit vor und paddelte sich mit den Füßen langsam an das Foto heran. Erst als ihre rechte Hand direkt über dem Foto lag, griff sie zu – und hatte es.

Bob klatschte Beifall. »Prima, Lika, prima!«, rief er.

Lika musste lächeln. Sie war stolz auf sich. Nicht so sehr über ihre Schwimmkünste, mehr darüber, dass sie den Mut hatte, in Bobs Anwesenheit die Jeans auszuziehen. Wenn sie auch schon oft zusammen schwimmen waren, ein Slip war kein Bikini.

Lika hatte den Gedanken noch nicht zu Ende gebracht, da verblasste ihr stolzes Lächeln wieder. Ein Slip war wirklich kein Bikini, besonders wenn er nass war. Dann war er nämlich doch fast durchsichtig.

»Was ist?« Bob stand am Ufer und hielt ihr die Hand hin, um ihr herauszuhelfen. »Gefällt's dir etwa da drin?«

Er ahnte nichts von ihren Sorgen, das sah Lika ihm an. Trotzdem wurde sie wütend. »Hau ab!«, schrie sie ihn an. »Nun hau schon ab.«

»Wieso?« Bob guckte verdutzt.

Lika wurde noch wütender. Der Blödmann begriff wirklich nicht. »Weil du Leine ziehen sollst«, schrie sie. »Denkste, das hier is 'ne Peepshow?« Da begriff Bob. Er wurde knallrot, so rot wie bisher noch nie, drehte sich um und lief zum Fahrrad. Lika sah ihm verblüfft nach. Wollte er gleich bis hin nach Tegel verschwinden?

»Ich fahr 'ne Biege ums Haus«, rief er ihr zu. »Bis dahin haste Zeit.«

»Fahr langsam«, wollte Lika noch rufen, aber da hatte Bob schon ein paar Mal kräftig in die Pedale getreten und war verschwunden. Schnell stieg sie ans Ufer, schnappte sich ihre Jeans und lief damit unter den Steg. Dort zog sie den nassen Slip aus und die Jeans an, zog auch ihr T-Shirt aus, wrang es halbwegs trocken und streifte es gleich wieder über. Dann wischte sie das Foto an ihren Hosenbeinen trocken und sah es an.

Ein Junge im karierten Hemd, er lehnte an einem Brückengeländer. Dahinter war Wasser, irgendein Fluss oder See. Lika musste grinsen. Ein passenderes Foto hätte Matze ihr nicht schicken können, nicht an diesem Tag.

Sein Gesicht war nicht unsympathisch, im Gegenteil, irgendwie gefiel es ihr. Aber was Besonderes war nicht daran. Es gab viele Jungen, die so aussahen.

War sie enttäuscht? Sie wusste es noch nicht. Dass dieser Matze kein Tarzan und kein Superman war, hatte sie sich denken können. Aber insgeheim hatte sie doch gehofft, dass irgendwas Besonderes an ihm war. Immerhin hatte er eine Flaschenpost losgeschickt und so was macht nun wirklich nicht jeder.

»Lika!«

Bob. Er rief sie und er rief voller Angst, so, als wäre sie inzwischen wieder ins Wasser gefallen und ertrunken.

»Ja doch!« Lika kam unter dem Steg hervor – und musste lachen: Wie Bob dastand, in jeder Hand einen von ihren Schuhen, hilflos in die Gegend blickend …

Verlegen kam Bob näher. Schnell stopfte Lika ihren nassen Slip in die Hosentasche und hielt ihm das Foto hin. Bob nahm das Foto kurz, guckte darauf und reichte es Lika zurück.

»Und?«, fragte sie neugierig.

»Was und?«

»Gefällt er dir?«

»Bin doch kein Mädchen.«

»So mein ich's nicht.« Lika wurde ein bisschen ärgerlich. Bob sollte sich nicht so haben. Matze nahm ihm ja nichts weg. »Ich meine, findste ihn sympathisch?«

»Es geht.« Bob zuckte mit den Achseln. »Ein ganz normaler Junge.« Und dann wurde er plötzlich wieder so knallrot und fügte hinzu: »Ein ganz normaler *deutscher* Junge.«

»Haha!« Lika tippte sich an die Stirn. Dass Bob so etwas zu ihr sagen konnte! Als ob sie was gegen Ausländer hätte! »Du bist ja bloß eifersüchtig.« Sie dachte, nun würde er protestieren. Aber er protestierte nicht, sah sie bloß an. Und dann sagte er ernst: »Na und? Das gehört doch dazu.«

»Wozu?«

»Na ... wenn man jemand gern hat ...«

Das war stark! Das war ’ne Liebeserklärung, ’ne richtige Liebeserklärung! Und nur weil es da im Osten diesen Matze gab, den sie noch nicht einmal gesehen hatte.

»Du spinnst ja!« Lika tippte sich noch einmal an die Stirn. Aber nun wurde sie auch rot. Sie spürte es richtig, wie die Hitze in ihr hochstieg. Und weil sie das wusste, wurde sie noch verlegener.

»Ich spinne nicht.« Bob blieb ganz ernst. »Vielleicht heirate ich dich mal.«

»Wat?« Lika konnte es kaum fassen. Wollte Bob sie etwa verscheißern?

Bob blieb weiter so ernst. »Warum nicht? Vielleicht, wenn wir erwachsen sind. Ich hab dich nämlich wirklich sehr gern.«

»Und ich?«, fragte Lika baff zurück. »Ob ich dich gern habe, interessiert dich nicht?«

Bob sah sie lange an. »Hast du mich denn nicht gern?«

»So ’n Quatsch!« Sie tippte sich nun schon das dritte Mal an die Stirn. »Gern haben! Denkste, ich würd so oft mit dir zusammenglucken, wenn ich dich nicht leiden könnte?«

Bob wollte den Mund aufmachen, um etwas zu erwidern. Aber diesmal kam Lika ihm zuvor. »Jetzt les ich erst mal den Brief«, schimpfte sie, griff in den Schuh und zog den Brief heraus.

Und dann las sie: *Liebe Lika, vielen Dank für deinen Brief. Pipusch und ich, wir haben so darauf gewartet und uns riesig gefreut, als er endlich kam.*

Du musst keine Angst haben, du kannst uns ruhig weiter schreiben. So schlimm ist es bei uns nicht. Ich sehe jetzt öfter euer Fernsehen, weil ich mehr von euch wissen möchte. Besonders oft sehe ich die Abendschau ...

»Was denn? Die Kack-Sendung guckt der?« Bob las über Likas Schulter mit.

»Das macht er doch nur wegen uns«, verteidigte Lika Matze. »Ich hab auch schon Osten geguckt ...«

Das hätte sie nicht sagen sollen. Bobs Augen wurden noch dunkler. »Wegen ihm?«

»Oh, Mann!« Lika stieß die Luft aus und sah zum Himmel hoch. »Klar seinetwegen! Ich bin ja so verknallt in ihn. Er ist der tollste Mann im ganzen Osten – bis hin nach Moskau und zurück.«

Bob senkte den Blick und schwieg, und Lika las weiter: ... *Abendschau, weil da viel über Berlin berichtet wird. Manchmal berichten sie darin aber auch über uns – und das gefällt mir gar nicht, weil es nämlich meistens nicht stimmt.*

»Na und?«, murrte Bob. »Was die im Osten über uns berichten, stimmt ja auch nicht.«

Doch Lika ließ sich nun nicht mehr ablenken: *Pipusch und ich waren neulich sogar auf dem Fernsehturm, um zu euch rüberschauen zu können. Das hat auch geklappt, sogar die Wullenweberstraße haben wir gesehen ...*

»Hihi!«, machte Bob. »Die spinnen ja. So weit kann man ja gar nicht sehen.«

»Mensch, bist du blöd!« Lika drehte sich so, dass Bob nicht mehr mitlesen konnte, und las weiter. *Jetzt was ganz anderes,* schrieb Matze. *Opa Haase hat eine tolle Idee gehabt, weil das Hin- und Herschreiben ja viel zu lange dauert und auf die Dauer zu teuer wird. Habt ihr Telefon? Wenn ja, ruf mich doch einfach mal an. Das ist von euch aus ganz billig, viel billiger als Briefeschreiben. Es gilt als Stadtgespräch und kostet nur zwanzig Pfennig – ganz egal, wie lange wir telefonieren. Opa Haases Schwester wohnt bei euch und macht das auch immer so. Von uns aus bei euch anzurufen ist viel teurer, weil unsere Post das als Ferngespräch berechnet …*

Anrufen? Telefonieren? Lika sah Bob an. Aber nun wusste er ja nicht mehr, worum es ging, zog nur ein schiefes Gesicht und guckte beleidigt.

Wenn du mich anrufen willst, dann am besten in der Woche zwischen dem 20. und 26. Juli. Da hat meine Mutter Spätschicht und mein Vater kommt auch erst gegen vier Uhr nach Hause. Zwischen halb zwei und vier ist niemand zu Hause, außer ich. Die Vorwahlnummer von euch aus ist 0372, danach kommt dann unsere Nummer …

»Machst du das?« Bob hatte doch wieder heimlich mitgelesen.

Lika zuckte die Achseln. Sie war verwirrt. Da hatte sie nun befürchtet, Matze wolle ihr vielleicht nicht mehr schreiben – und jetzt wollte er sogar mit ihr telefonieren! Nachdenklich las sie weiter: *Weil ich nicht weiß, wann du anrufen kannst, warte ich jeden Tag zu Hause. Aber nur in dieser Woche! Wenn es nicht geht, kannst du mir ja wieder schreiben.*

Ein Foto habe ich dir auch beigelegt. Pipusch hat es gemacht. Leider nur schwarzweiß, aber Farbe ist bei uns ziemlich teuer.

Lika drehte den Brief um und Bob seufzte: Das war ja ein irre langer Brief!

An unserer Schule gibt es auch blöde Lehrer, schrieb Matze auf der Rückseite. *Aber ein paar tolle sind auch dabei.*

Die Spinner in deiner Klasse kann ich nicht verstehen. Ich finde wirklich, dass alle Menschen gleich sind, egal ob Türken, Russen, Amerikaner, Chinesen, Araber, Engländer, Franzosen, West-Berliner, Ost-Berliner, Sachsen und andere Deutsche.

Gibt's bei euch wirklich so viel Hundescheiße? Bei uns ist's ja schon schlimm, aber Opa Haase sagt, bei euch ist es noch schlimmer. Als Rentner darf er ja manchmal zu euch rüber. So, jetzt muss ich wieder Schluss machen. Viele Grüße auch von Pipusch und Opa Haase – an Bob und dich – dein Matze.

Dann kam aber noch ein PS und das war der Höhepunkt des ganzen Briefes. *Wir haben auch schon große Ferien,* hatte Matze noch unter die Unterschrift gekritzelt. *Meine Eltern fahren aber nicht weg, weil wir Ostern schon in Polen waren. Warst du schon einmal bei uns? Wenn nicht, komm doch einfach mal rüber! Der Müggelsee bei uns ist wunderschön. Dann könnten wir uns auch mal sehen.*

»Machste das etwa auch?« Bob war nun doch ziemlich beeindruckt von Matzes Brief.

Lika erging es nicht anders. Das also war Matzes Antwort auf ihre Ausladung: zwei Einladungen! Eine zum Telefonieren und eine zum Besuch in Ost-Berlin ... Und das mit der vielen Hundescheiße überall in den Straßen wusste er auch.

»Alleine darfste gar nicht rüber«, sagte Bob leise. »Du hast ja noch gar keinen Ausweis.«

Lika sah ihn nur an. Und dann fragte sie ihn ebenso leise: »Würdste denn mitkommen?«

»Ich?«, staunte Bob. »Ich bin doch nicht dein Vater.«

»Nee! Aber mit meinen Eltern zusammen könnten wir ja rüberfahren ...« In Likas Kopf begann es zu gären, eine Idee kroch langsam in ihr hoch ...

»Meinste denn, dass deine Eltern das machen? Ich meine, extra wegen diesem Matze in den Osten rüberfahren?«

»Na klar! Wenn ich es will.«

Bob dachte nach, dann nickte er still. Wenn Lika ihn mitnehmen wollte zu diesem Matze, hieß das ja, dass er ihr genauso wichtig war wie dieser Ost-Berliner. Vielleicht brauchte sie ihn aber auch als Schutz. Vielleicht hatte sie ein bisschen

Angst vor all dem Fremden, was sie da erwartete. Und dann durfte er sie nicht allein lassen.

»Abgemacht?«, fragte Lika.

»Abgemacht«, sagte Bob. Und dann grinste er wieder sein Lieblingsgrinsen.

Falsch verbunden
Heimlich währt am längsten
Tea for two
Das große Gespräch

Montag! Endlich war es Montag. Matze und Pipusch standen am Fenster und sahen in den Sonnenschein hinaus. Aber das schöne Wetter war ihnen egal. Selbst dreißig Grad Hitze hätten sie an diesem Tag nicht aus der Wohnung locken können. Sie hatten das Telefon schon vorsorglich auf den kleinen Tisch neben Vaters Lieblingssessel gestellt. Es war fünf Minuten nach halb zwei, jeden Moment konnte es läuten.

»Und wenn sie nun doch nicht anruft?« Pipusch blickte sich alle zwei Minuten nach dem Telefon um, als wolle er es hypnotisieren.

»Mensch!« Matze wurde wütend. Er war aufgeregt genug, er brauchte Pipuschs Nerverei nicht.

»Ich meine ja nur ... Vielleicht hat sie immer noch Angst ... wegen deiner Mutter.«

Pipusch verstand es, den Finger in die Wunde zu legen. Das verwunderte Matze ja immer noch, dass Lika sich um seine Mutter sorgte. Wenn er sich Gedanken machte, gut, das war einzusehen. Aber die da drüben? War das nicht nur ein Vorwand, damit er sie in Ruhe ließ? Vielleicht passte Likas Eltern ein Ostkontakt genauso wenig wie seiner Mutter der Westkontakt.

Das Telefon! Pipuschs Augen leuchteten auf wie zwei Scheinwerfer. Matze fuhr sich erst mal kurz durchs Haar, dann warf er sich in Vaters Sessel und ergriff den Hörer.

»Matthias Loerke«, sagte er laut und deutlich.

»Matze?« Eine Mädchenstimme.

»Ja, ja!«, rief Matze. »Ich bin's! Hat alles geklappt?«

»Was soll denn geklappt haben?« Die Mädchenstimme am Telefon klang immer mehr nach Ilsa. »Ich wollte dich nur fragen, ob du am Sonntag zur Party kommst.«

Matze sah Pipuschs neugieriges Gesicht und winkte enttäuscht ab. »Was für 'ne Party denn?«

»Ich hab doch am Sonntag Geburtstag.« Ilsa zierte sich ein wenig. »Und da geb ich 'ne Party ... Wie jedes Jahr.«

»Ach, 'ne Geburtstagsfeier!« Matze sah auf seine Armbanduhr. Vielleicht rief jetzt, in diesem Augenblick, gerade Lika an.

»Geburtstagsfeier kann man auch dazu sagen.« Ilsa war wieder mal unheimlich nett. »Aber das klingt nach Geschenke mitbringen und so – ich sag lieber Party. Ganz locker, weißt du?«

Matze sah Pipusch an. Pipusch, der nun langsam mitbekommen hatte, wer am anderen Ende war, schüttelte den Kopf. Er ging nicht gern zu Ilsa, wo alles so schick war. Ilsa lud ihn ja auch nur ein, wenn Matze sie danach fragte. Von allein kam sie nie auf den Gedanken, ihn einzuladen.

»Das ist blöd«, sagte Matze gespielt traurig in den Hörer hinein. »Sonntag haben Pipusch und ich schon was vor.«

»Bring Pipusch doch einfach mit.« Ilsa gab sich großzügig. »Er stört ja nicht.«

Pipusch nickte viel sagend. Gut, dass Ilsa nicht wusste, dass er daneben stand und alles mithörte, sonst hätte sie sich nicht so verraten.

Matze wurde ärgerlich. »Nee«, sagte er betont langsam. »Das geht nicht. Wir wollen mein Zimmer tapezieren. Wir haben auch schon die Tapeten ...«

»Sag ihr doch die Wahrheit«, zischte Pipusch. »Sag ihr, dass ihre Partys langweilig sind.«

Gott sei Dank hatte Ilsa nichts gehört. Sie versuchte immer noch, Matze zu überreden. »Komm doch!«, bat sie. »Tapezieren könnt ihr ja immer noch. Und überhaupt, warum macht das nicht dein Vater? Hat er keine Zeit?«

»Der hat Spätschicht«, murmelte Matze nur noch. Blöd, dass er sich so herausreden musste. Aber sollte er jetzt etwa mit Ilsa eine lange Diskussion anfangen, wo doch Lika vielleicht schon ungeduldig wurde, weil bei ihm immer besetzt war.

»Ist doch nur für 'n paar Stunden.« So schnell gab Ilsa nicht auf. Hilflos sah Matze Pipusch an. Was sollte er denn jetzt noch sagen?

Pipusch riss ihm kurz entschlossen den Hörer aus der Hand. »Tüt – tüt – tüt!«, machte er. »Falsch verbunden! Tüt – tüt – tüt! Falsch verbunden!« Damit legte er auf.

Matze musste lachen, obwohl ihm Ilsa ein bisschen Leid tat. An allem waren ja nur ihre Eltern schuld; Ilsa ahmte ja nur nach, was sie ihren Lebensstil nannten. Weil ihre Eltern nur mit ausgesuchten Leuten »Umgang pflegten«, tat sie das auch. Dass er mit zu den Ausgesuchten gehörte, lag an seinen guten Noten. Wer gut in der Schule war, wurde von Ilsa akzeptiert. Wenn einer sonst ein prima Kumpel, aber im Unterricht eine Niete war, fand er vor ihren Augen keine Gnade.

Pipusch lachte auch nicht lange. »Biste jetzt sauer auf mich?«, fragte er vorsichtig. »Quatsch!«, wollte Matze gerade sagen, da klingelte das Telefon erneut.

»Das ist sie diesmal wirklich.« Pipusch strahlte und nickte, als wollte er Matze über die Pleite mit Ilsa hinwegtrösten. Matze ergriff den Hörer und sagte zum zweiten Mal mit fester Stimme: »Matthias Loerke.«

»Matze?« Es war die Mutter. »Seit wann meldest du dich denn so feierlich?«

»Nur so.« Matze guckte Pipusch an und zuckte mit den Schultern. Pipusch begriff und seufzte.

Die Mutter hatte nur wenig Zeit, in zwei Minuten begann ihre Schicht. »Ich wollte dir nur sagen, dass ich meine Pausenbrote vergessen habe«, rief sie in den Hörer. »Sie liegen im Kühlschrank. Iss sie doch bitte zum Abendbrot. Bis ich nach Hause komme, sind sie ja ganz trocken.«

»Hhm«, machte Matze nur. Wenn die Mutter ihn von der Arbeit aus anrief, sprach sie immer so seltsam aufgeregt und laut. Sie lief dann schon auf vollen Touren, wie der Vater das nannte.

»Stimmt was nicht?«

Auch das noch! »Wieso denn?« Matze sah auf die Uhr.

»Deine Stimme klingt so komisch.« Die Mutter lauschte in den Hörer hinein. »Bist du noch da?«

»Ja.«

»Und ist wirklich alles in Ordnung?«

»Ja.«

Die Mutter war nicht zufrieden, aber am Telefon und noch dazu dreißig Sekunden vor Schichtbeginn war sie hilflos. »Also gut«, sagte sie schließlich. »Wenn irgendwas ist, kannst du mich ja anrufen.«

»Ja.«

»Dann – tschüss! Und denk mal an mich.«

»Mach ich.«

Schnell legte Matze auf. Pipusch grinste. Das kannte er von seiner Mutter. Am liebsten wäre sie im Betrieb *und* bei ihm zu Hause gewesen, beides gleichzeitig.

Matze sah den Telefonapparat an und wartete auf ein drittes Läuten. Vielleicht probierte Lika ja schon seit einer halben Stunde ihn anzurufen. Doch der Apparat blieb stumm. Es war blöd von ihm gewesen, Lika zu schreiben, dass sie ihn die ganze Woche über anrufen konnte. Jetzt musste er jeden Nachmittag zu Hause hocken und warten. Und wenn sie überhaupt nicht anrief, noch dazu umsonst. Und das in den großen Ferien.

Das Telefon! Schnell griff Matze wieder zum Hörer. »Jaa?«, fragte er.

»Hallo?«

Eine Mädchenstimme, eine fremde Mädchenstimme! Aber Matze blieb vorsichtig. »Hier auch Hallo«, sagte er nur. »Wer ist denn da?«

Ein, zwei Sekunden lang hörte er nichts, dann fragte die Mädchenstimme vorsichtig: »Ist dort Loerke? Matthias Loerke?«

Sie musste es sein! »Lika!«, rief Matze in die Sprechmuschel. »Bist du's?«

»Matze?«, fragte Lika erleichtert. »Warum haste dich denn so komisch gemeldet?«

»Weil ...« Sollte er Lika jetzt etwa von Ilsas Anruf und Mutters Pausenbroten erzählen? »Weil da inzwischen so viele andere angerufen haben. Deshalb, weißte.«

»Biste 'ne Telefonzentrale?« Lika lachte leise.

»Nee!« Matze lachte zurück. Diese Lika hatte eine sympathische Stimme, eine ungeheuer sympathische Stimme. Die gab nicht an, die war verlegen, wusste nicht richtig, was sie sagen sollte – genau wie er.

»Biste allein?«, fragte Lika endlich, nachdem sie beide eine Weile geschwiegen hatten.

Matze sah zu Pipusch hin, der ihm wie gebannt ins Gesicht blickte. »Nee«, antwortete er dann ehrlich. »Meine Eltern sind zur Arbeit, aber Pipusch ist bei mir ... Das ist der Freund, von dem ich dir geschrieben habe.«

»Ach der!« Lika wurde gleich noch ein bisschen leiser. »Grüß ihn von mir.«

»Mach ich.«

So was Doofes, jetzt sprachen sie über Pipusch, anstatt über all das Wichtige, das ihn interessierte. »Und du? Bist du auch allein?«

»Ja. Seit fünf Minuten. Deshalb hab ich ja auch erst jetzt angerufen.«

»Aha!«, sagte Matze, als freute ihn das. Dann wusste er wieder nicht, was er sagen sollte, und fragte schließlich: »Und das Wetter? Ist das bei euch auch so toll wie bei uns?«

»Nee, noch viel toller.« Lika lachte.

Matze begriff, dass er was ziemlich Dummes gefragt hatte. Schnell lachte er mit. Danach herrschte wieder Verlegenheit.

»Wie findest du denn die Idee mit dem Anrufen?«, fragte Matze schließlich. »Kostet doch wirklich bloß zwanzig Pfennig, oder?«

»Ja«, antwortete Lika. Und dann sagte sie leise: »War 'ne prima Idee. Wirklich! Aber mit jemandem zu telefonieren, den man noch nie gesehen hatte, ist schon komisch, oder?«

Das fand Matze auch, aber so ganz wollte er es nicht zugeben. »Ich hab ja dein Bild«, sagte er. »Ich weiß ja, wie du aussiehst.«

»Und ich hab deins.« Lika lachte wieder. Aber diesmal laut.

»Was is 'n?« Matze wurde sofort wieder unsicher. Lachte sie etwa über sein Foto? Sah er so komisch aus?

»Ach«, sagte Lika nur und dann erzählte sie Matze, wie ihr sein Foto ins Wasser gefallen war und sie hinterherschwimmen musste. Matze hörte zu und wusste nicht, ob er mitlachen sollte. Sein Foto in der Spree? Und besonders sauber war das Wasser auch nicht gewesen?

»Sonst ist deinem Bild aber nichts passiert«, tröstete Lika ihn. Und ein wenig leiser fügte sie hinzu, dass ihr sein Foto gefallen habe. »Ehrlich!«

Das machte vieles wieder gut. Matze strahlte Pipusch an und der strahlte zurück, ohne zu wissen, worum es überhaupt ging.

»Und?« Matze hatte Mut gefasst. »Kommste nun mal? Ich meine zum Baden an den Müggelsee. Das Wetter ist genau richtig dafür. Und im Radio haben sie gesagt, es soll so bleiben.«

Stille am Ende der Leitung.

»Biste noch da?«

»Ja«, sagte Lika und dann erzählte sie Matze alles das, was sie inzwischen in Erfahrung gebracht hatte – nämlich, dass West-Berliner, die nach Ost-Berlin wollten, ihren Besuch ein paar Tage vorher beantragen mussten. Das war doof. Wie sollten sie denn tagelang vorher wissen, wie am Sonntag das Wetter sein würde. Und dann musste jeder Erwachsene auch noch fünfundzwanzig Mark umtauschen – für einen einzigen Besuchstag! Ihr mache das ja nichts aus, aber es würde schwer werden, ihren Eltern klarzumachen, warum es unbedingt der

Müggelsee sein musste, wenn eine Fahrt raus an den Wannsee so viel bequemer und billiger war.

»Ich darf ja nichts davon sagen, dass ich dich treffen will«, entschuldigte sich Lika. »Sonst fahren sie ja erst recht nicht mit mir rüber.«

»Dann komm doch einfach alleine«, schlug Matze vor. »Ohne Eltern ist's doch sowieso viel schöner.« Pipusch grinste und nickte. Na klar, was sollten sie mit den Eltern?

Einige Sekunden lang blieb Lika stumm. Dann schimpfte sie: »Na, du bist gut! Meinste, ich würde dir so lange was von meinen Eltern vorjammern, wenn ich auch alleine rüber könnte?«

Matze schwieg. Dann sagte er: »Find ich blöd von denen, dass sie dich nicht alleine rüberlassen.«

»Von wem?«, fragte Lika.

»Na, von euren Grenzern.«

»Von unseren?«, staunte Lika. »Es sind doch eure, die das nicht zulassen. Unsere kontrollieren ja gar nicht.«

»Nur unsere?«, staunte jetzt Matze. Er wusste natürlich, dass an der Grenze kontrolliert wurde – aber dass die da drüben das nicht auch machten, war ihm neu. »Also kommste nicht?«, fragte er leise.

»Wer hat denn das gesagt?« Likas Stimme schwankte zwischen Ungeduld und Verwunderung. »Na klar komm ich mal! Ich muss bloß meinen Eltern richtig klarmachen, dass wir schon tausendmal am Wannsee waren – und noch nie am Müggelsee.« Und mit einem schlauen Unterton, der verriet, dass sie schon einen Plan hatte, fügte sie hinzu: »Und das schaff ich auch, da kannste 'ne Packung Persil drauf schlucken.«

»Du bist ganz schön raffiniert.« Matze hatte schon alle Hoffnung aufgegeben. Nun freute er sich wieder.

Lika kicherte leise in sich hinein. »Heimlich währt am längsten, steht in der Bibel.«

Matze blieb nichts weiter übrig, als vorsichtig mitzukichern und damit Pipusch, der zum Schluss nichts mehr mitbekommen hatte, noch neugieriger zu machen.

»Nur eins ist wichtig«, sagte Lika dann, »ihr müsst euch nach uns richten. Meine Eltern haben ja nicht immer Zeit.«

»Machen wir«, antwortete Matze gleich. Das war kein Problem, Pipusch und er konnten jederzeit an den Müggelsee fahren.

»Gut!« Likas Stimme klang zufrieden. »Wenn ich weiß, wann's losgeht, ruf ich dich wieder an. Spätestens am Freitag. Klaro?«

»Klaro!« Matze strahlte in den Hörer hinein, als könnte Lika seine Freude sehen.

Da sagte Lika auf einmal noch etwas, und zwar sehr leise, fast schon flüsternd: »Was meinste 'n«, fragte sie, »ob wir abgehört werden?«

»Ob wir was werden?« Matze glaubte, nicht richtig verstanden zu haben.

Likas Stimme wurde noch leiser, noch vorsichtiger. »Ob wir ab-ge-hört werden ...«

Matze begriff immer noch nicht. »Abgehört? Wieso ...? Von wem denn?«

»Na, von der Post. Oder von der Polizei.«

Matze ließ Likas Antwort in sich nachklingen, bis er sicher war, richtig gehört zu haben. Dann fragte er unsicher: »Wozu denn?«

»Na, die hör'n doch immer mal Gespräche ab«, flüsterte Lika. »So wie sie ja auch manchmal die Briefe lesen.«

Davon hatte Matze noch nie etwas gehört, das erschien ihm

sehr unwahrscheinlich; das klang wie eine Szene aus einem Kriminalfilm. »Unsere oder eure Post?«

»Beide.«

Matze sah Pipusch an. Der hatte zwar nicht alles mitbekommen, schüttelte aber den Kopf.

»Das glaub ich nicht«, sagte Matze da. »Unsere Post trägt bloß Briefe aus.«

Lika blieb misstrauisch. »Frag lieber erst mal«, bat sie ihn. »Es kann ja auch die Polizei sein. Ist ja ekelhaft, wenn man belauscht wird.«

Das fand Matze auch. Wenn es so was wirklich gab, war das ganz schlimm. Aber wen sollte er danach fragen – Opa Haase?

Eine Zeit lang schwiegen sie nun beide. Schließlich sagte Matze: »Also dann bis spätestens Freitag, ja?«

»Bis spätestens Freitag«, sagte auch Lika. Und dann sagte sie nur noch »tschüss«, und legte auf.

Matze legte auch auf. »Und?«, fragte Pipusch sofort. Nun wollte er seinen Anteil an dem Gespräch. Und Matze legte auch gleich los.

Ob Pipusch schon mal was davon gehört habe, dass die Post die Telefone abhörte? Oder die Polizei?

Pipusch hatte noch nie was davon gehört.

Ob er schon mal was davon gehört habe, dass auch die Briefe kontrolliert wurden, die in den Westen gingen?

Ja, davon hatte einer der Besucher seiner Mutter mal was erzählt. Daran erinnerte sich Pipusch noch gut. Der Besucher hatte gesagt, man müsse sich genau überlegen, was man schreibe, sonst sitze man schon im Knast, bevor man den Brief überhaupt unterschrieben habe.

Unruhig stand Matze auf, stellte sich ans offene Fenster und starrte in den Plänterwald hinunter. Wenn sie die Briefe kontrollierten, warum sollten sie dann nicht auch die Telefone abhören, das war ja eins wie das andere. »Und warum machen die so was?«, fragte er leise.

Pipusch zuckte die Achseln. »Wegen der Spione oder so.«

Matze nickte nachdenklich. Das musste es sein, einen anderen Grund konnte es dafür nicht geben. Aber das beruhigte ihn nicht. Durfte man denn tausend Telefone abhören, nur um eventuell einen einzigen Spion zu erwischen? Und Lika sagte ja, beide Seiten würden das tun, der Osten wie der Westen. Dann gab's ja bald überhaupt keine Geheimnisse mehr, nicht mal die klitzekleinsten.

Pipusch guckte andächtig. Er sah Matze an, dass er über was Wichtiges nachdachte, und wollte ihn nicht stören. Und Matze dachte nach, dachte den ganzen Nachmittag darüber nach, dachte noch nach, als Pipusch längst gegangen war. Was Lika ihm da erzählt hatte, war ungeheuerlich. Er musste wissen, ob es wirklich solche Kontrollen gab. Aber wen sollte er das fragen? Opa Haase, gut, der würde mit ihm darüber reden. Aber durfte er ihm, was die beiden Berlins betraf, wirklich trauen? Das mit den Gittern im Wasser hatte ja auch nicht gestimmt. Er musste mit jemand reden, dem er wirklich vertrauen konnte.

Der Vater! Er musste mit dem Vater reden. Dem Vater konnte er vertrauen, der würde den Osten nicht schlechter machen, als er war, und den Westen auch nicht.

Um besser nachdenken zu können, hatte Matze sich in seinem Zimmer aufs Bett gelegt. Nun sprang er auf und lief ins Wohnzimmer, um dort aus dem Fenster zu gucken, obwohl der Vater um diese Zeit noch längst nicht zu sehen sein konnte. Er kam immer erst zehn Minuten nach vier und jetzt war es gerade mal fünf vor.

Er würde mit dem Vater ein großes Gespräch führen, das stand fest. Er würde ihn endlich mal all das fragen, was ihn nun schon seit vielen Tagen beschäftigte. Und damit ihr Gespräch so richtig gemütlich wurde, würde er jetzt Tee kochen. Der Vater trank ja nachmittags nur Tee, weil er sonst abends nicht einschlafen konnte. Er würde sich freuen, wenn der Tee schon fertig war.

Schnell schloss Matze das Fenster, lief in die Küche und füllte Wasser in den Teekessel. Dann steckte er den Gasherd an, stellte das Geschirr auf den Tisch, legte Mutters Pausenbrote dazu und füllte Teeblätter in die Kanne. Genau in dem Moment, als der Teekessel pfiff, wurde die Tür aufgeschlossen.

»Nanu?«, wunderte sich der Vater schon im Flur. »Brühst du dir was auf?«

»Ich mach uns Tee«, sagte Matze ernst.

Der Vater guckte verdutzt. Aber dann freute er sich: »Prima! Den kann ich jetzt gut gebrauchen.« Er zog Matze kurz an sich und ging dann ins Schlafzimmer, um seine S-Bahn-Uniform aus- und die bequemen Cordhosen anzuziehen.

Als sie dann beide am Küchentisch saßen und Mutters Pausenbrote aßen, guckte der Vater neugierig. Er konnte sich denken, dass da noch was kam. Er wusste nur nicht, was.

Matze hielt sich zurück. Er wollte nicht gleich mit seinen Fragen herausplatzen, sondern den Vater auf ganz harmlose Weise in ein Gespräch verwickeln. Er durfte nicht merken, dass er ihn ausfragen wollte, sonst glaubte er womöglich noch, dass er ihm nur deshalb den Tee gekocht hatte. Dabei hatte es ihm zum Schluss ja richtig Spaß gemacht, den Vater zu bewirten.

Endlich hatte der Vater sein Brot aufgegessen und sich eine

Zigarette angezündet. Langsam konnte Matze starten. »Wenn man auf dem Fernsehturm steht«, sagte er über seine Teetasse hinweg, »sieht man die Mauer gar nicht.«

Der Vater blickte verwundert auf. Damit hatte er nun doch nicht gerechnet. »Wie kommst du denn auf so was? Warst du denn in der letzten Zeit mal oben?«

Matze trank von seinem Tee und erzählte ganz beiläufig, dass Pipusch ihn eingeladen hatte. Danach wiederholte er noch mal, was er gesagt hatte: »Es war ganz komisch. Von da oben konnte man die Mauer gar nicht sehen.«

Der Vater zog die Augenbrauen hoch. »Warum sagst du denn immer ›Mauer‹? Es heißt Grenze.«

»Ist doch 'ne Mauer«, beharrte Matze. »Oder etwa nicht?«

Der Vater sah Matze lange an. »Natürlich ist's 'ne Mauer. Aber 'ne Grenze ist es auch, oder?«

Matze senkte den Blick. Er wollte nicht, dass der Vater die Lust an dem Gespräch verlor. »Weißte eigentlich noch, wie's früher in Berlin war?«

Der Vater wurde noch misstrauischer. »Wann – früher?«

»Vor dem Krieg.«

»Nee!« Der Vater lachte. »Da war ich ja noch gar nicht auf der Welt.« Aber dann überlegte er und sagte, dass er sich nur noch an das Nachkriegsberlin erinnern könne. »Damals gab's auch schon zwei Berlins. Oder richtiger vier – den amerikanischen, den französischen, den englischen und den russischen Sektor. Aber die drei westlichen Sektoren waren bald die eine Hälfte und wir die andere.« Er dachte wieder ein bisschen nach und fragte Matze schließlich: »Wozu willste denn das wissen? Für die Schule? Ihr habt doch Ferien.«

»Für mich«, sagte Matze da ganz ehrlich. »Nur für mich. Es interessiert mich.« Und als der Vater ihn weiter so aufmerksam ansah, sagte er noch: »Opa Haase erzählt viel von früher. Aber ob das alles stimmt ...«

Der Vater schmunzelte. »Opa Haases Erinnerungen sind nicht dieselben wie meine. Ich kann mich nur noch an die Fünfzigerjahre erinnern. Auch keine leichte Zeit, kann ich dir sagen. Vor allem bei uns nicht. Im Westen sah es anders aus, da gab's bald wieder alles – kam von den vielen Dollars, die die Amis da hineinpumpten. Meine Mutter fuhr damals oft mit mir rüber – zum Einkaufen: Apfelsinen, Schokolade, Käse, Wurst, Fisch. Wir fuhren immer zum Schlesischen Tor, das war nicht weit von uns, und für mich war's so 'n richtiges Schlaraffenland.«

Schlesisches Tor? Das war doch hinter dem Treptower Park, dort, wo jetzt die vielen Türken wohnten ... Matze bedauerte, dass er Opa Haases Stadtplan nicht dabei hatte. Sonst hätte der Vater ihm zeigen können, wohin er mit seinen Eltern zum Einkaufen gefahren war.

»Es war eine ungerechte Zeit damals«, fuhr der Vater fort. »Die eine Seite schwamm im Reichtum – jedenfalls nach außen hin –, die andere hatte nichts. Viele Menschen gingen dahin, wo es alles gab – und das hieß, dass bei uns alles noch schlechter wurde.« Er zögerte, sagte es dann doch: »Viele haben wir auch vertrieben, weil unsere Regierung in der Zeit keine sehr kluge Politik gemacht hat. Wer 'ne andere Meinung hatte, galt schon als Feind.«

»Ist das jetzt nicht mehr so?«

»Doch. Aber nicht mehr so schlimm wie damals.«

Der Vater trank von seinem Tee und schwieg. Matze blieb dran. »Und dann wurde die Mauer gebaut?«

Der Vater nickte nachdenklich. »Als immer mehr wegliefen, hatte unsere Regierung keine andere Möglichkeit. Sonst wäre unsere Wirtschaft wohl zugrunde gegangen ... Und das hätte die drüben gefreut. Damals jedenfalls. Inzwischen hat sich im Westen ja Gott sei Dank auch einiges geändert.«

»Aber sie hassen sich immer noch«, sagte Matze leise.

Der Vater überlegte kurz, dann schüttelte er den Kopf. »Hass ist nicht das richtige Wort. Sie sind politische Gegner, verhandeln miteinander, schließen Geschäfte ab, lächeln sich an, wenn sie sich treffen, aber sie trauen einander nicht.« Er nickte bekräftigend. »Das ist es: Sie trauen einander nicht.«

»Sind das nur die Regierungen – oder auch die Leute?«

»In der Hauptsache sind es die Regierungen – aber ohne die Leute könnten die Regierungen nichts machen.« Der Vater lächelte.

Matze dachte nach und fragte dann leise: »Und unsere schießen, wenn einer über die Grenze will?«

Der Vater blickte ernst. »Ja, unsere schießen, wenn einer ohne Erlaubnis über die Grenze will ... Leider ist das so.«

»Und warum erlauben sie uns nicht, einfach mal rüberzufahren?«

Der Vater sah zum Fenster hinaus und schwieg lange. Schließlich sagte er: »Sie erlauben es ja – zwar nicht in jedem Fall, aber in der letzten Zeit immer häufiger. Das Schlimme ist nur, dass sie es dir jedes Mal erst erlauben müssen ... Das ist wie früher als Kind, wenn ich von meiner Mutter immer nur dann was bekam, wenn ich lange genug artig war und brav bitte gesagt hatte.«

Matze sagte nichts mehr. Er hatte auf einmal das Gefühl, dem Vater wehzutun, wenn er ihn so ausquetschte. Doch der Vater fing von selber wieder an. »Ich finde das alles nicht gut, das kannst du mir glauben. Ich fand das früher nicht gut und ich finde es heute nicht gut. Aber konnte ich es früher schon nicht verstehen, so kann ich es jetzt erst recht nicht verstehen. Die Zeiten, als alle in den goldenen Westen wollten, sind doch längst vorbei. Was uns fehlt, ist ein bisschen mehr Freiheit, ein bisschen mehr Selbständigkeit und das Recht auf eine eigene Meinung. Wenn wir das haben, brauchen wir keine Mauer mehr.«

Matze rührte sich nicht. Nun hatte der Vater selber von der Mauer gesprochen. Also nannte er die Grenze heimlich auch so.

Der Vater nahm Matzes Hand. »Ich finde es richtig, dass du mich das alles fragst. Irgendwann mussten wir ja mal darüber sprechen. Du darfst aber nicht darüber reden, schon gar nicht in der Schule. Was ich dir gesagt habe, muss unter uns bleiben. Versprichst du mir das?«

Matze versprach es und, seltsam, der Vater schämte sich plötzlich vor ihm. »Es tut mir Leid, dass ich dich nicht zur Offenheit erziehen kann, sondern zu Heimlichtuerei anhalten muss«, sagte er. »Mir wäre es ja egal, wenn ich Ärger bekäme, weil mein Sohn irgendwas ›Falsches‹ gesagt hat. Aber Mutter könnte ernsthafte Schwierigkeiten bekommen.«

Matze spürte einen großen Kloß im Hals. Er war froh, dass der Vater so mit ihm redete. Es machte ihn stolz. Aber es machte ihn auch verlegen. »Also werden wir nie wieder *eine* Stadt?«, fragte er.

Der Vater lehnte sich in seinen Stuhl zurück, sah irgendwo in eine weite Ferne hinaus und sagte leise: »Ich glaube nicht. Inzwischen ist so viel passiert, wie sollten sich die beiden Seiten wohl je wieder einigen?« Er schüttelte den Kopf. »Darum geht's auch gar nicht. Es wäre schon schön, wenn wir einander besuchen könnten – ich meine, ohne das Bitte-Bitte um die Erlaubnisscheine. Das würde vielleicht helfen, die Mauer abzutragen – und mit der Mauer vielleicht auch die Feindseligkeiten.«

Einige Minuten lang war es still in der Küche, nur das Ticken von Mutters altem Wecker war zu hören. Dann sagte der Vater: »Weißt du, Mutter und ich, und du natürlich auch, wir leben nun mal hier. Und ich lebe gern hier. Hier gibt es vieles, was mir nicht gefällt. Aber drüben gefällt mir auch nicht alles. Ich bin hier aufgewachsen und ich fühle mich hier wohl. Und das andere, was mir nicht gefällt, wird nicht ewig bleiben.«

Matze nickte. Er verstand den Vater und er fand es gut, dass der Vater nicht weg wollte. Er wollte ja auch nicht weg. Jedenfalls nicht für immer.

»Jetzt mal was anderes.« Der Vater sah Matze fest in die Augen. »Warum fragst du mich das alles? Ich meine, warum interessiert dich das gerade heute? Hat das einen besonderen Grund?«

Matze überkam es siedend heiß. Nun musste er den Vater belügen. Und das, obwohl der Vater so ehrlich zu ihm gewesen war.

»Im Westfernsehen kam 'ne Sendung über die Mauer ... Briefkontrolle und Telefonabhören kam auch drin vor.«

Das klang glaubwürdig. Der Vater fragte nicht weiter, begann nur das Teegeschirr zusammenzustellen.

Matze schämte sich für seine Lüge. Aber da er es schon mal angesprochen hatte, fragte er gleich weiter: »Wer macht das eigentlich – die Telefone abhören und die Briefe kontrollieren? Macht das die Post?«

Der Vater hätte beinahe die Teekanne fallen lassen, so sehr belustigte ihn diese Frage. »Nee«, sagte er. »Dafür haben die Herrn Politiker ihre Spezialisten. Die Post hat andere Aufgaben.« Er schüttelte noch mal den Kopf und ließ Wasser ins

Abwaschbecken. Matze nahm das Geschirrtuch, doch der Vater winkte ab.

»Lass mal!«, sagte er. »Das bisschen schaff ich allein.«

Still legte Matze das Geschirrtuch wieder weg. Da zog der Vater ihn an sich. »Kein Wort über das, was wir gesprochen haben, ja?«

Matze nickte nur.

»Auch nicht zu Mutter. Sie würde mir das übel nehmen, dass ich so mit dir gesprochen habe. Sie meint, du verstehst so was noch nicht.«

Matze nickte noch einmal. Es war schade, dass er mit der Mutter nicht darüber sprechen konnte, aber es war besser so. Irgendwann würde sie ja merken, dass er mehr verstand, als sie glaubte.

Ein Platz auf dem Friedhof
Das große graue Nichts
Kein Spielverderber
Zucker auf der Zunge

Noch am gleichen Abend führte auch Lika ihr großes Gespräch. Sie begann beim Abendbrot damit, in der Küche. Die Gelegenheit war günstig. Der Vater war schon zu Hause und es ging ihm wieder besser. Dank der vielen Pillen, die er geschluckt hatte. Die Mutter aber war nicht zufrieden. Sie wollte endlich mal ein ernstes Wort mit dem Vater reden.

»Das mit den Pillen hilft dir doch nicht weiter«, schimpfte sie, nachdem er sein letztes Brot gegessen und sich gleich wieder eine Zigarette angezündet hatte. »Damit betäubst du dich doch bloß. Du musst gesünder leben. Und dazu gehört vor allem ein bisschen mehr Entspannung. Nicht so viel im Büro rumglucken, nicht so viel qualmen und pro Tag ein Bierchen weniger. Außerdem könntest du ja mal selber Sport treiben, anstatt nur immer zuzusehen, wie die im Fernsehen sich die Lunge aus dem Hals hetzen. Davon, dass die anderen schwitzen, wirst du auch nicht gesünder.«

Der Vater blinzelte Lika zu. Er kannte diese Reden schon. Er mochte sie sogar, wie er mal zu ihr gesagt hatte, weil Mutters Sorge ihm verriet, dass sie ihn noch liebte. An diesem

Abend aber hatte er seine Rechnung ohne die Mutter gemacht. Sein Grinsen machte sie nur noch wütender.

»Wenn du glaubst, dass ich das alles nur aus Fürsorge sage, hast du dich getäuscht. Ich mach dieses Leben nicht mehr mit. Die ganze Woche über arbeitest du wie ein Verrückter und am Wochenende hängst du schlaff im Sessel – das ist doch kein Leben!«

Dem Vater verging das Grinsen und Lika vergaß ihr Brot in der Hand. So deutlich war die Mutter noch nie geworden. »Und überhaupt«, fuhr sie fort. »Wieso rauchst du hier am Tisch? Lika und ich sitzen dabei und dürfen alles einatmen. Lika hat ja noch nicht mal aufgegessen.«

Mürrisch drückte der Vater seine Zigarettenkippe aus. Doch dadurch stank sie nur noch mehr. Er seufzte, stand auf, ging auf die Toilette und kippte den Aschenbecher ins Klo aus. Als er wieder kam, guckte er böse. »Dass du auf das Rauchen schimpfst«, sagte er zur Mutter, »das kann ich ja noch verstehen. Aber was stört dich daran, dass ich arbeite?«

»Arbeiten nennst du das?« Die Mutter lachte laut auf. »Selbstmord auf Raten ist das! Und nun sag bloß noch, du tust das für uns.«

»Ich will kein Häuschen im Grünen«, warf Lika schnell ein. Bei dem Tempo, das die Mutter vorlegte, kam sie sonst überhaupt nicht zu Wort.

»Ich etwa?« Die Mutter lachte schon wieder so übertrieben laut. Sie war sehr aufgeregt. Alles, was sie sagte, bewegte sie schon seit langem. »Was habe ich denn davon – als junge Witwe irgendwo im Bayerischen Wald.«

»Jetzt reicht's aber!« Der Vater wollte zu einer längeren Rede ansetzen, aber die Mutter ließ das nicht zu. Ein Programm solle er sich machen, verlangte sie von ihm, ein richtiges Gesundheits- und Freizeitprogramm, sonst müsse er sich wirklich langsam auf dem Friedhof umschauen. Ob es aber schon Särge mit eingebauten Fernsehgeräten gebe, wisse sie nicht.

Das war's! Jetzt konnte Lika loslegen. »Ja«, sagte sie nun fast genauso laut wie die Mutter. »Wir sollten endlich mal wieder alle zusammen schwimmen gehen. Schwimmen ist der gesündeste Sport, hat unsere neue Sportlehrerin gesagt.«

Sie hatte zu laut gesprochen. Einen Moment lang sah es aus, als wollte der Vater sie deswegen zurechtweisen. Aber dann überlegte er sich das. Likas Vorschlag kam ihm nicht ungelegen.

»Kinder!«, sagte er versöhnlich. »Wenn's weiter nichts ist … Von mir aus können wir schon diesen Sonntag an den Wannsee fahren.«

Der Mutter kam dieser plötzliche Themenwechsel nicht sehr gelegen, aber Lika blieb dran. »Immer Wannsee«, maulte sie. »Ist ja langweilig.«

»Wo willste denn sonst hinfahren?«, fragte der Vater belustigt. »Etwa an die Ostsee – morgens hin und abends wieder zurück?«

»Der Müggelsee soll so toll sein«, begann Lika da auf einmal zu schwärmen. »Viel größer als der Wannsee.«

Nun wurde auch die Mutter hellhörig. »Wie kommst du denn auf die Idee?«, fragte sie. »Hat das etwa was mit dem Jungen zu tun, mit diesem – wie heißt er noch? – Matze?«

»Quatsch!« Lika konnte sehr überzeugend lügen. »Dem schreib ich doch gar nicht mehr.« Und das war nun nicht mal gelogen, sie telefonierte ja seit neuestem mit Matze.

»Moni hat mir davon erzählt. Sie war mal da, als sie ihre Oma besucht hat.« Und dann, noch bevor die Eltern irgendwas dazu sagen konnten, maulte sie gleich weiter: »Und überhaupt, ich war noch nie im Osten, weiß gar nicht, wie's da aussieht.«

»Grau.« Der Vater lachte. »Grau sieht's da aus.«

»Woher weißt du denn das?« Diese Bemerkung kam der Mutter sehr gelegen. Weg vom Müggelsee, hin zum Streit mit dem Vater. »Wann warst du denn das letzte Mal drüben?«

»Vor dem Mauerbau«, antwortete der Vater unwillig. »Wer sich einmauert, ist ja wohl an Besuchern nicht sehr interessiert, oder?«

»Was können denn die Leute drüben für die Mauer?«, empörte sich die Mutter. »Wenn du zufällig ein paar Straßen weiter östlich aufgewachsen wärst, würdest du ja heute auch zu ihnen gehören. Es ist ja nicht *ihre* Mauer.«

»Unsere etwa?«

»Ein bisschen ist es auch unsere Mauer«, beharrte die Mutter. »Wenn wir nicht versucht hätten, drüben die Leute abzuwerben, wären nicht so viele abgehauen. Nur weil so viele abgehauen sind, ist ja die Mauer gebaut worden.«

»Das ist ja mal 'ne Logik!«, ärgerte sich der Vater. »Deiner Meinung nach sind also die an der Mauer schuld, die lieber in Freiheit leben wollten? Und nicht die, die die anderen einsperren?«

»Ich weiß nicht, wer alles schuld an der Mauer ist«, entgegnete die Mutter achselzuckend. »Ich weiß nur, dass die Menschen drüben am meisten unter ihr leiden. Und dass wir der Regierung drüben in die Hände spielen, wenn wir uns abkapseln. – Oder tun wir das etwa nicht? Wie ist es denn, wenn wir nach Westdeutschland fahren? Hinter Dreilinden beginnt für uns doch schon das große graue Nichts, erst in Helmstedt wachen wir wieder auf. Dabei sollen auch in der DDR ganz lebendige Menschen leben.«

»Und warum warst *du* dann noch nie drüben?«, fragte der Vater böse.

Die Mutter schwieg einige Sekunden, dann gab sie zu: »Weil ich dumm war. Meine Eltern wollten von den Kommunisten nichts wissen, also fuhren sie nie mit mir rüber. Und als ich endlich selbständig war, stand die Mauer schon. Da schimpften wieder alle auf die Kommunisten, also blieb ich hier.«

»Sie haben zu Recht geschimpft«, sagte der Vater. »Wenn die da drüben 'ne richtige Demokratie wären und ihre Leute nicht einsperren würden, hätte auch keiner geschimpft.«

»Weißt du, was du bist?« Die Mutter sprach auf einmal sehr leise. »Du bist ein Spießer! Was du einmal geglaubt hast, gilt für dich immer. Dass sich die Welt jeden Tag verändert und wir uns mit verändern müssen, willst du einfach nicht wahrhaben. Daher kommen auch deine altmodischen Träume vom Häuschen im Grünen, obwohl sich die meisten da längst zu Tode langweilen.«

Der Vater sah die Mutter schweigend an. Dann stand er auf, nahm seine Zigaretten und das Feuerzeug und ging aus der Küche.

Lika blickte stumm auf ihren Teller. Das hatte sie nicht gewollt. Aber es war nicht ihre Schuld. So ein Streit hatte schon lange in der Luft gelegen.

»Na ja! Das musste ja mal kommen!« Die Mutter stand ebenfalls auf und begann das Geschirr abzuräumen. Lika sah ihr zu, bis die Mutter sich ihr zuwandte. »Wenn du mir schon nicht hilfst, dann geh ihm wenigstens nach.«

So war die Mutter, der Vater tat ihr schon wieder Leid. Aber das würde sie nie zugeben. Lieber versteckte sie ihr Mitleid in einem Vorwurf.

Lika ging ins Wohnzimmer und setzte sich in den Sessel, der

dem des Vaters gegenüber stand. Natürlich rauchte er jetzt. Ein großes Kognakglas stand auch vor ihm. Und damit sie sein Gesicht nicht sehen konnte, hatte er, als sie hereinkam, schnell die Zeitung hochgenommen.

Einige Zeit lang schwieg Lika nur. Dann fragte sie leise: »Warst du schon mal am Müggelsee?«

Es dauerte ein bisschen, bis der Vater sich zu einer Antwort durchgerungen hatte. »Ja«, knurrte er schließlich.

»Oft?«

»Oft.«

»Als Kind?«

»Wann denn sonst?«

»Und? Ist's wirklich ein schöner See?«

»Ja.«

Lika schwieg und seufzte, dann sagte sie traurig: »Ich hätte ihn auch gerne mal kennen gelernt, bevor wir von Berlin wegziehen.«

Das war ein Angebot an den Vater. Es sollte ihm zeigen, dass sie ja mitgehen würde, wenn er eines Tages ins Grüne zog. Doch er reagierte nicht darauf. Lika musste ihr schwerstes Geschütz auffahren, einen Vorschlag, den sie sich für den Notfall aufbewahrt hatte. »Und wenn ich's mir zum Geburtstag wünsche?«

Das tat weh, das war ein Opfer.

»Du hast noch lange nicht Geburtstag.« Der Vater lachte. Er wollte sich nicht hereinlegen lassen.

»Na und? Dann braucht ihr mir eben zum Geburtstag nichts mehr zu schenken.«

Der Vater nahm die Zeitung weg und guckte Lika lange an. »Ist dir das denn so wichtig? Ich dachte, du wolltest einen Plattenspieler haben.«

»Den kann ich mir ja zu Weihnachten wünschen.«

Der Vater schüttelte nur den Kopf und blickte wieder in seine Zeitung. Aber er las nicht mehr, er wusste nur nicht, was er noch antworten sollte.

»Moni sagt, ihre Oma berlinert genauso wie wir.« Lika blieb am Ball. Jetzt oder nie würde sie es schaffen.

»Wie soll'n sie denn sonst reden ... Sind ja auch Berliner.«

Lika bohrte weiter. »Ich kann mir den Osten gar nicht richtig vorstellen. Ich dachte immer, hinter der Mauer ist die Welt zu Ende.«

»Habt ihr in der Schule nichts darüber gelernt?« Der Vater knurrte immer noch ein bisschen, aber seine Stimme klang schon wieder viel einsichtiger.

»Nicht viel.«

»Was lernt ihr denn da überhaupt?«

Das war gut. Auf die Schule schimpfte der Vater gern. Da vergaß er seinen anderen Ärger. »Mathe, Physik, Chemie«, zählte Lika auf. »Deutsch, Geschichte ...«

»Und Heimatkunde?«, fragte der Vater dazwischen. »Habt ihr denn keine Heimatkunde?«

»Nur wenig«, schwindelte Lika. »Und über den Osten hören wir so gut wie gar nichts. Und wenn doch, dann nur Schlechtes.« Und das war diesmal nicht geschwindelt.

»Na ja.« Der Vater räusperte sich. »In Ordnung ist das nicht. Schließlich ist der andere Teil ja auch unsere Stadt. Ich meine, bevor ihr was über andere Länder hört, solltet ihr erst mal die eigene Stadt kennen lernen ...«

»Siehst du!« Sie hatte ihn am Kragen. Nun kam er ihr nicht wieder los. »Dann lass uns doch mal hinfahren.« Lika guckte den Vater groß an und fügte schließlich noch ein drängendes »Bitte!« hinzu. »Ich will ja mehr über Berlin wissen.«

Der Vater guckte in seine Zeitung, sah auf, guckte wieder in seine Zeitung. Schließlich zuckte er die Achseln. »Von mir aus.«

»Juhu!« Lika sprang dem Vater auf die Zeitung und schlang die Arme um seinen Hals. Er freute sich darüber und zog ihren Kopf an sich. Aber ein paar kleine Einwände musste er noch loswerden. »Es ist nur so unpraktisch, weißt du. Erst müssen wir tagelang vorher einen Antrag stellen und dann auch noch an der Grenze warten.«

»An der griechischen Grenze musst du auch warten.« Die Mutter kam ins Wohnzimmer. Sie hatte die letzten Worte gerade noch mitbekommen.

Lika hielt die Luft an. Wenn die Eltern jetzt ihren Streit fortsetzten, konnte sie den Müggelsee endgültig vergessen.

»Ist aber auch Ausland«, antwortete der Vater nur. Er hatte offensichtlich keine Lust, den Streit fortzusetzen. Und dann sah er Lika an und fragte milde: »Und wenn es nun am Sonntag regnet?«

Er suchte eine Verbündete, deshalb sein Nachgeben, deshalb der Zucker auf der Zunge. Allein gegen alle beide war's ihm zu anstrengend.

»Es regnet aber nicht.« Lika sprach zum Vater wie zu einem Kind und sah dabei zur Mutter hin. Hoffentlich vermasselte sie ihr jetzt nichts. Doch die Mutter schien an anderes zu denken. Sie hatte sich ein Glas aus dem Schrank geholt und sich ebenfalls Kognak eingeschenkt. Nun saß sie in dem Sessel, in dem zuvor Lika gesessen hatte, und trank einen großen Schluck. Der Vater hatte das bemerkt. Er staunte. Die Mutter trank nur selten Schnaps. Und wenn doch, dann irgendeinen leichten Apfelkorn oder so was, aber doch keinen Kognak. Aber er sagte nichts dazu, sondern wandte sich wieder Lika zu. »Also gut! Wenn *du* sagst, dass es nicht regnet – wer wird da schon widersprechen?«

Lika wollte es noch deutlicher hören. »Also dann fahren wir?«

»Verdammt noch mal: Jaaa!«

»Am Sonntag?«

»Jaaa!«

»Hurra!« Lika küsste den Vater, sprang auf, setzte sich zur Mutter auf die Sessellehne und küsste auch die Mutter. Sie musste die günstige Gelegenheit ausnutzen und gleich die nächste Hürde ansteuern. »Da wird Bob sich aber freuen«, rief sie laut.

»Bob?« Der Vater stutzte. »Ist das dieser Türke?«

»Hast du was gegen Türken?«, fragte die Mutter scharf zurück.

»Mal langsam«, wehrte sich der Vater. »Jetzt mach mich nicht auch noch zum Ausländerschreck. Das kannst du mir ja nun beim besten Willen nicht anhängen.« Das fand Lika auch. Der Vater hatte wirklich nichts gegen Ausländer. Wenn er im Fernsehen Tennis sah, war er mal für den Schweden, mal für den Tschechen und mal für den Amerikaner. Nur, wenn der sehr gut spielte, war er für den Deutschen. Türken spielten ja leider kein Tennis. Jedenfalls nicht im Fernsehen.

Die Mutter sah ein, dass sie dem Vater Unrecht getan hatte. Sie wandte sich an Lika. »Ich finde es schön, dass du auch an Bob denkst. Natürlich nehmen wir ihn mit.«

»Danke!« Lika schmiegte sich an die Mutter und blinzelte dem Vater zu. Hoffentlich fing er jetzt keinen neuen Streit an. Aber der Vater war ebenfalls zum Friedensschluss bereit. »Gut«, sagte er und kniff ebenfalls ein Auge zu. »Dann beantrage ich also gleich morgen die Besuchsvisa.«

Er sah die Mutter an.

Die Mutter nickte. Und Lika hakte gleich noch mal nach: »Auch für Bob?«

»Wenn das geht ...« Der Vater zuckte die Achseln.

»Es geht.« Lika wusste Bescheid. »Du musst nur einen Erlaubnisschein seiner Eltern mitnehmen.«

Nun stutzte nicht nur der Vater, nun horchte auch die Mutter auf. »Woher weißte denn das?«

»Ich hab da angerufen.« Lika guckte möglichst harmlos.

»Wo?«

»Na, in der Besucherstelle.«

Die Eltern sahen sich an. Aber noch bevor sie irgendwas fragen konnten, sagte Lika – und machte dabei ihr nettestes Kleinmädchen-Gesicht: »Ich interessiere mich ja schon lange dafür.«

»So? Schon lange?« Die Mutter wurde noch misstrauischer. »Und das hat wirklich nichts mit diesem Matze zu tun?«

»M-m!« Lika schüttelte den Kopf. Aber dann wurde es ihr ungemütlich, und sie sprang, um weitere Fragen zu vermeiden, schnell auf und lief los. »Ich hole den Schein von Bobs Eltern, damit du ihn morgen mitnehmen kannst.« Und damit war sie schon aus der Tür.

Ein Tag wie aus dem Bilderbuch
Acht Mann hoch
Das große Sausen
Rotkäppchen und der Wolf

Endlich war der Sonntag heran. Matze wachte früh auf und war sofort hellwach. Und das, obwohl er vor Spannung und Neugier auf diesen Tag erst spät eingeschlafen war und danach sehr unruhig geschlafen und furchtbar blödes Zeug geträumt hatte.

Sein erster Blick galt dem Fenster. Hinter den Übergardinen war es hell. Schnell stand er auf und zog die Gardinen weg. Und dann erschrak er fast vor Freude: blauer Himmel, so weit er gucken konnte! Kein einziges Fusselwölkchen war zu sehen. Ein Tag wie aus dem Bilderbuch. Zufrieden öffnete er das Fenster und atmete tief die warme Luft ein, die über dem Plänterwald lag.

Sein Traum fiel ihm ein. Er hatte geträumt, dass er im dichten Regen an der Mauer stand und auf Lika wartete. Grenzsoldaten kamen und schickten ihn weg. Er versteckte sich in einem Busch und war plötzlich am Müggelsee. Auch hier regnete es. Aber er konnte nicht fort, er wartete ja auf Lika. Und dann kam sie, mitten im Regen kam sie über den See gerudert. In einem kleinen Ruderboot. Er wollte ihr winken, da schlug eine riesige Welle über dem Boot zusammen. Und danach waren weder das Boot noch Lika mehr zu sehen.

Ein blöder Traum! Ob der was zu bedeuten hatte? Matze ließ das Fenster offen stehen, legte sich wieder ins Bett und dachte nach.

Wie wohl in Wahrheit alles werden würde? Er stellte sich vor, wie Lika und er sich trafen, wie sie sich die Hand gaben, wie sie miteinander redeten. Immer wieder neue Situationen stellte er sich vor. Es gab feierliche Begrüßungen, ernste, herzliche, lustige und kühle. Die herzlichen gefielen ihm am besten. Aber durfte man zu jemand, den man noch nie zuvor gesehen hatte, gleich so freundlich sein; mussten sie nicht erst mal Abstand bewahren? Die Treffen der Politiker im Fernsehen fielen ihm ein. Die waren fast immer gleich sehr herzlich zueinander, auch wenn sie sich noch nie zuvor gesehen hatten. Konnte das echt sein?

Bei ihm war es echt. Er kannte Lika ja nun schon ein bisschen. Sie hatten in der vergangenen Woche fast jeden Tag miteinander telefoniert.

Am Dienstag hatte sie ihn angerufen, um ihm zu sagen, dass sie die Eltern rumgekriegt hatte und sie schon diesen Sonntag an den Müggelsee fahren wollten. Am Mittwoch hatte sie mit ihm telefoniert, um ihm zu sagen, dass ihr Freund Bob auch mitfahren würde. Und am Donnerstag, um mit ihm zu besprechen, wie sie sich denn gegenseitig erkennen konnten.

Matze verschränkte die Arme unter dem Kopf und grinste vor sich hin. Wie die Papageien würden sie aussehen, wenn sie sich gegenüberstanden. Lika wollte eine rote Baseballmütze aufsetzen, so eine mit einem riesigen Schirm über den Augen. Sie mochte zwar gerade diese Mütze nicht besonders, aber das Foto, das sie ihm geschickt hatte, sei nun wirklich nicht das neueste, hatte sie gesagt. Und der Gedanke, dass sie sich vielleicht nicht erkannten und die ganze Mühe umsonst gewesen war, war ihr nun wirklich zu blöd.

Er hatte ihr Recht gegeben und gesagt, dass er ein gelbes T-Shirt mit einem Tigerkopf auf der Brust tragen werde – auch etwas, was er sonst nie anzog, weil er auffällige Klamotten nicht mochte. Am Sonntag aber wollte er es tragen, damit auch sie ihn gleich erkannte.

Es klingelte. Matze fuhr hoch. War das schon Pipusch? Aber es war ja noch nicht mal halb sieben, um halb acht sollte er kommen.

Es war Pipusch. Die Mutter war zur Tür gegangen. Schmunzelnd schob sie Pipusch in Matzes Zimmer und ging danach als Erste ins Bad. Mit seinem Rucksack auf dem Rücken und dem Netz mit dem Fußball in der Hand stand Pipusch vor Matze und strahlte wie ein Olympiasieger.

»Biste noch nicht auf?«

Blöde Frage. »Was willste denn schon so früh hier?«

Pipusch setzte sich auf den Stuhl, über dem noch Matzes Wäsche hing, und blickte sich neugierig um. Als ob er noch nie bei ihm gewesen wäre, guckte er. Und dann sagte er leise: »Meine Mutter und der Besuch ... Sie fahren auch weg. Ich wollte nicht allein zu Hause bleiben.«

Matze stand auf. Immer wenn Pipusch mit seinem Besuch anfing, konnte er ihm nicht mehr böse sein. »Tolles Wetter, was?«

»Ja.« Pipusch strahlte wieder. Und dann fragte er leise: »Hat sie noch mal angerufen?«

Matze schüttelte den Kopf. Lika hatte nicht noch mal angerufen. Freitag hatten sie das letzte Mal miteinander gesprochen. Ihm war plötzlich siedend heiß eingefallen, dass sie über alles geredet hatten, nur über eins nicht, nämlich *wo* sie sich denn überhaupt treffen wollten. Da hatte zum ersten Mal nicht sie ihn, sondern er sie angerufen. Aber es war noch zu früh gewesen, ihre Mutter war an den Apparat gekommen. Schnell hatte er wieder aufgelegt. Doch schon zehn Minuten später hatte es bei ihm geklingelt: Lika hatte sich denken können, wer der Muffel war, der sich nicht mal entschuldigte, wenn er sich verwählte. Und sie wusste auch, weshalb er angerufen hatte. Er hatte ihr dann vorgeschlagen, dass sie sich auf der Schniepelwiese treffen sollten, einer kleinen Badewiese nahe der Schiffsanlegestelle Rübezahl. In Vaters Familie wurde diese Wiese so genannt, weil der Vater und seine Geschwister dort als Kinder immer nackend gebadet hatten. »Ihr müsst mit der S-Bahn bis Friedrichshagen fahren«, hatte er Lika erklärt. »Dort setzt ihr dann mit der Weißen Flotte nach Rübezahl über. Danach braucht ihr bloß noch rechts am Wasser entlangzugehen – und dann siehst du mich schon.«

Lika hatte ein bisschen gestöhnt, weil sie nicht wusste, wie sie ihren Eltern klarmachen sollte, dass sie ausgerechnet dort baden wollte. Aber dann hatte sie nur tief Luft geholt und gesagt, das werde sie nun auch noch schaffen.

Die Schniepelwiese war wirklich eine tolle Badewiese. Pipusch fand das auch. Er hatte nur Angst, dass Lika diese Wiese vielleicht nicht finden würde. Matze ging es nicht viel anders. Aber sollte er sich mit Lika etwa im Strandbad treffen? In dem Gewimmel dort verpassten sie sich bestimmt.

»Das Bad ist frei.« Die Mutter klopfte an die Tür.

»Warum sind deine Eltern denn schon auf?«, fragte Pipusch neugierig.

Matze seufzte. Das hatte er Pipusch noch gar nicht gesagt und Lika wusste es auch noch nicht: Die Eltern würden mitfahren! Als er ihnen am Sonnabend sagte, dass Pipusch und er heute an den Müggelsee fahren wollten, hatte die Mutter nur kurz überlegt und sich gefreut: »Eine gute Idee! Da fahren wir mit. Wir müssen auch mal wieder unsere Speckfalten in die Sonne halten.«

Es war seine Schuld, er hätte sich das denken können. Er wusste ja, dass die Mutter solche Fahrten liebte. Er hätte ihr irgendwas anderes vorschwindeln müssen. So hatte sie noch am Sonnabendnachmittag Kartoffelsalat gemacht und jede Menge anderer Fressalien eingepackt. Richtig unternehmungslustig war sie geworden. Und jetzt fuhren also Lika, dieser Bob und Likas Eltern an den Müggelsee, und dazu noch Pipusch, er und seine Eltern. Acht Mann hoch waren sie nun. Und weder Likas noch seine Eltern durften etwas von dem geheimen Treffen erfahren. Wenn das kein Kunststück war!

Pipusch kicherte leise vor sich hin. Er fand das Ganze dadurch nur noch spannender. Matze hätte lieber auf die zusätzliche Spannung verzichtet. Nachdenklich ging er ins Bad und wusch sich. Doch dann wurde er immer schneller. Die Eltern, Pipusch und er mussten vor Lika und ihrem Gefolge da sein! Sonst führte Lika ihren Verein womöglich noch an der Schniepelwiese vorbei, weil sie ihn nicht entdecken konnte. Und dann wäre Lika mit Recht sauer auf ihn.

Matze hatte auch Grund, sich zu beeilen. Lika war schon lange fertig. Sie war noch aufgeregter als er, war schon am frühen Morgen dreimal aufs Klo gerannt und musste auch jetzt, nachdem sie sich angezogen hatte, noch mal.

Es war alles klar: Der Vater hatte die beantragten Besuchsvisa zugeschickt bekommen, die Mutter für vier Monate Proviant eingekauft, und die Sonne strahlte vom Himmel herab, als hätte sie einen Profi-Vertrag. Ihr aber wurde nun von Minute zu Minute mulmiger im Bauch. Etwas anleiern war das eine, die Sache zu Ende zu bringen was anderes …

Sie hatte ein bisschen Angst vor diesem Ost-Berlin hinter der Mauer. Immerhin sollte da ja ab und zu geschossen werden. Und Matze hatte während der letzten Telefongespräche manchmal so komisch gefragt: Ob sie in der Schule Politik hätten, richtige Politik? Und ob sie im Westen alles sagen durften, was sie dachten?

Hatte er sie verhören wollen – oder ausspionieren? Alles Schlechte, was Lika jemals über das andere Berlin gehört hatte, war ihr wieder in den Sinn gekommen. Deshalb hätte es jetzt von ihr aus Strippen regnen können, es hätte sie nicht sehr gestört. Im Gegenteil, dann wäre die ganze Sache im wahrsten Sinne des Wortes ins Wasser gefallen – und sie hätte keine Schuld daran gehabt.

»Lika?« Der Vater stand vor der Tür. »Es gibt noch andere Leute mit Verdauungsorganen.«

»Ja doch«, murrte Lika.

»Nanu?«, wunderte sich der Vater laut. »An so einem schönen Tag so schlechte Laune? Hast du schlecht geschlafen?«

»Jaa!«, sagte Lika nur noch und dann gab sie die Klosettbrille endlich frei.

Beim Frühstück machte der Vater auf gute Laune. Das fiel ihm nicht leicht, weil er ja schon wusste, dass er nach dem Frühstück auf seine Zigarette verzichten musste. Er wollte sich das Rauchen abgewöhnen; der Mutter zuliebe. Deshalb hatte er sich erst gar keine Zigaretten gekauft. Wie er das durchstehen sollte, einen ganzen Tag ohne Zigaretten, das wusste er nicht. Deshalb war ihm jetzt schon ganz kribbelig.

Die Mutter war sehr lieb zum Vater. Sie rechnete ihm seinen

guten Vorsatz hoch an. Die Eltern waren aber auch sonst wieder netter zueinander. Sie hatten an jenem Streitabend noch bis lange nach Mitternacht miteinander gesprochen – ruhiger, ernsthafter und vernünftiger, wie der Vater gesagt hatte. Worüber sie da gesprochen hatten, hatte er nicht gesagt, nur, dass es um den »Sinn des Lebens« gegangen war.

»Kennst du Rübezahl?« Lika ging zum Angriff über. Das große Sausen in ihrem Bauch konnte nicht mehr schlimmer werden. Außerdem war auch nichts mehr drin, was noch rauskommen konnte.

»Den Riesen Rübezahl?«, witzelte der Vater.

»Nee, den Zwerg«, giftete Lika. Das fehlte ihr gerade noch, dass der Vater auf ihre Kosten den großen Scherzbold spielte.

Der Vater ließ sich nicht verdrießen. »Madame haben wirklich nicht sehr gut geruht«, sagte er cool. »Das tut dem Personal äußerst Leid. Dürfen wir Madame irgendwie trösten? Vielleicht, indem wir ihr versprechen, ganz artig zu sein und beim Mittagessen nicht zu kleckern?«

Die Mutter lachte. Fand sie das etwa komisch? Lika wandte sich wieder dem Vater zu. »Kennst du's nun – oder nicht?«

»Rübezahl am Müggelsee?« Endlich wurde der Vater ernst. »Klar kenne ich das. Willst du dahin?«

»Moni sagt, da soll's am schönsten sein.«

»Schön ist's am Müggelsee überall.« Der Vater freute sich nun richtig auf die Fahrt an den See, in dem er als Kind öfter mal gebadet hatte. »Jedenfalls war's früher so. Das große Strandbad liegt aber auf der anderen Seite vom See.«

»Strandbad!« Es machte Lika keine Mühe, innerhalb einer Minute alle Nachteile eines Strandbades aufzuzählen – Sonnenöl, Plastiktüten, Körper an Körper, jede Menge Lärm und kaum Platz im Wasser. Und da die Mutter ebenfalls sagte, dass

Strandbad Strandbad war, egal ob Müggelsee oder Wannsee, war auch der Vater bald für Rübezahl. »Schön«, sagte er. »Auf diese Weise machen wir gleich noch 'ne Dampferfahrt.«

Nach dem Frühstück ging's dann los. Eingepackt war schon alles, es musste nur noch eingeteilt werden, wer was trug. Lika nahm die Tasche mit dem Badezeug, die Mutter die mit den Fressalien, der Vater wollte die Kühlbox mit den Getränken schleppen. Die Mutter zweifelte immer noch, ob das sinnvoll war, auch Getränke mitzunehmen.

»Denkste, ich trink Ost-Brause?« Der Vater blieb stur. »Lieber schlepp ich mir 'n Ast.«

Lika benutzte die Gelegenheit, sich ihre rote Mütze aufzusetzen, zur Tür zu gehen und schon mal langsam die Treppen hinunterzusteigen. Doch die Eltern kamen ihr bald nach. »Was 'n jetzt los?« Der Vater musste laut lachen. »Spielen wir Rotkäppchen und der Wolf?«

»Dann bist du aber der Wolf!« Lika wurde rot. Sie hatte mit einer ähnlichen Bemerkung gerechnet, aber dass sie nun gleich als Rotkäppchen rumlief …

Auch die Mutter wunderte sich. »Das ist doch die Mütze, die dir Onkel Ralf aus Amerika mitgebracht hat. Seit wann gefällt die dir denn?«

»Denkt ihr, ich will mir 'n Sonnenbrand holen?« Lika ging noch etwas schneller. Das mit der roten Mütze war auch keine gute Idee gewesen. Aber hätte sie sich etwa eine Blume ins Haar stecken sollen?

Bob sollte an der Litfasssäule warten. Und natürlich stand er schon da – in der einen Hand eine Plastiktüte, in der anderen ein Netz mit 'nem Fußball – und glotzte dämlich, weil er auch noch nie zuvor in seinem Leben eine rote Baseballmütze gesehen hatte.

»Is was?«, zischte Lika ihn an.

Schnell schüttelte Bob den Kopf und wandte sich den Eltern zu. Höflich gab er erst der Mutter und dann dem Vater die Hand.

Der Vater nickte Bob freundlich zu und die Mutter zog ihn gleich ins Gespräch. »Herrliches Wetter, nicht?«, fragte sie. Und dann brachte sie ihren alten Scherz an: »Ja, wenn liebe Leute verreisen, besinnt Petrus sich auf seine Pflichten.«

Bob nickte nur zu allem und dann gingen sie in Richtung S-Bahnhof davon. Die Mutter ging zwischen Lika und Bob und der Vater neben Lika. Und während sie gingen, erzählte die Mutter Bob, dass sie seinen Eltern neulich einen Mantel gebracht hatte. Sie wollte, dass sie ihr daraus eine Jacke machten.

Bob blieb weiter so höflich, und als die Mutter ihn fragte, ob das denn hier eine gute Gegend für eine Änderungsschneiderei sei, nickte er wieder nur.

Dieser Bob war ein anderer Bob als der, den Lika kannte. Aber ihr war klar, dass sie an seiner Stelle genauso steif neben seinen Eltern hergelatscht wäre.

Erst in der S-Bahn machte auch wieder der Vater den Mund auf. Er wischte sich den Schweiß von der Stirn und blickte sich lange im Wagen um. »Wisst ihr, wie lange ich nicht mehr S-Bahn gefahren bin?«, fragte er feierlich. »Zwanzig Jahre! Zwan-zig Jah-re!«

Sie saßen sich gegenüber, der Vater neben der Mutter, Lika neben Bob. Bob hatte den Vater lange studiert, nun sagte er – wahrscheinlich, um ihm eine Freude zu machen: »Ich fahr oft S-Bahn.«

»So?« Der Vater guckte neugierig. »Und wo fährst du da hin?«

»Ins Kino. Manchmal muss ich durch die ganze Stadt, um einen Film zu sehen.«

Das verstanden die Eltern nicht. Bob musste ihnen erst erklären, dass er ein Kino-Fan war und die Filme, die er noch nicht gesehen hatte, manchmal nur in den anderen Stadtteilen liefen.

Das gefiel dem Vater, das erinnerte ihn an seine Jugend. Er sei als Junge auch oft ins Kino gegangen, erzählte er Bob, manchmal sogar zwei- oder dreimal an einem Tag. Allerdings habe eine Vorstellung damals nur einen Fünfziger gekostet. »Hast du denn so viel Geld?«, fragte er Bob. »Ich meine, Kino ist ja heutzutage ein teures Vergnügen.«

»Ich verdien's mir«, erklärte Bob. »Ich trag Werbezettel aus.«

Das gefiel dem Vater noch besser. Lika sah es ihm deutlich an: Bob imponierte ihm. Aber er kam nicht dazu, ihn noch weiter auszufragen. Die S-Bahn näherte sich dem Bahnhof Friedrichstraße – sie hatten die Grenze erreicht.

Alle vier sahen sie nun aus dem Fenster, einer neugieriger als der andere, und Lika auch ein bisschen ängstlich. Hoffentlich ging alles gut.

Alte Herren
Eine Theatervorstellung
Zweimal laut hupen
Dynamit und Kichererbsen

Matze und Pipusch hockten auf der Schniepelwiese und sahen auf den Müggelsee hinaus. Blau und unbewegt lag er vor ihnen, nur ganz sachte plätscherte das Wasser an den Strand. Die Fährschiffe von Friedrichshagen kamen über den See, legten in Rübezahl an, fuhren weiter oder zurück. Von einem Mädchen mit roter Mütze war nichts zu sehen.

»Vielleicht haben sie's sich anders überlegt«, vermutete Pipusch. »Oder sie hat was angestellt und ihre Eltern haben sie zur Strafe nicht mitgenommen.«

»Quatsch!«

Wie konnte Pipusch nur so einen Blödsinn erzählen! Likas Eltern fuhren ja nur wegen Lika an den Müggelsee, da würden sie entweder alle fahren oder gar keiner.

»Und warum kommt sie dann nicht?« Pipusch konnte sehr beharrlich sein. »Ist ja gleich zwölf.«

Es war erst halb zwölf, Pipusch übertrieb. Aber das machte es nicht besser, eigentlich musste Lika längst da sein. Es sei denn, sie hatte sich die Wegbeschreibung nicht gemerkt ... Oder ihre Eltern waren doch ins Strandbad gefahren. Matze musste an seinen Traum denken. Vielleicht war der gar nicht so blöd gewesen.

Der Vater kam. In der Badehose stand er hinter ihnen und grinste. »Na, wasserscheu?«

»Von wegen!« Pipusch sprang gleich auf. Matze erhob sich nur widerwillig. Natürlich mussten sie nun mit ins Wasser, der Vater würde es nicht verstehen, wenn sie nur hier herumhockten. Aber wenn nun gerade jetzt Lika kam? Umständlich zog er das gelbe T-Shirt mit dem Tigerkopf aus, noch umständlicher hängte er es in die Zweige eines Busches – so, dass der Tigerkopf auch wirklich gut zu sehen war. Umständlich zog er am Gummi seiner Badehose.

»Was ist?«, rief der Vater, der schon im Wasser war. »Schwimmt ihr neuerdings in der Altherrenmannschaft?«

»Komm schon!«, drängelte Pipusch. »Sonst fällt's auf.«

Matze sah erst noch mal zur Mutter hin, die auf ihrer Decke lag und mit einem Bleistift in der Hand in der neuen Betriebsvereinbarung las, dann ging er langsam hinter Pipusch her ins Wasser.

»Huh, ist das kalt!«, rief Pipusch, während er sich vorsichtig nass spritzte.

»Ach was!« Der Vater schwamm schon ziemlich weit draußen. »Frisch ist das, nicht kalt.«

Pipusch holte tief Luft und warf sich ins Wasser. Matze spähte noch mal zum Ufer zurück und gab endlich auf. Ohne sich vorher nass zu machen, warf er sich ins Wasser und kraulte vorwärts.

»Achtung! Die alten Herren kommen!« Der Vater schwamm etwas schneller.

Matze legte auch einen Zahn zu. Er würde dem Vater schon zeigen, wer hier ein alter Herr war.

Der Vater merkte, was Matze vorhatte, und legte sich mächtig ins Zeug, um nicht von ihm eingeholt zu werden. Auch Pipusch versuchte nun, sich durchs Wasser zu peitschen. Matze blieb ganz ruhig. Schwimmen konnte er, das wusste er, und Pipusch hatte viel kürzere Arme und Beine. Noch drei, vier, fünf, sechs Züge und er war an Pipusch heran. Pipusch grinste verlegen und schwamm wieder langsamer. Matze sah zum Vater hin und kraulte weiter.

»Los!«, schrie der Vater. »Los, Sohnematz! Zeig mal, was ich dir beigebracht habe.«

Matze musste lachen. Das war raffiniert vom Vater. Wenn er jetzt gewann, dann nur, weil der Vater ihm das beigebracht hatte. Also hieß der Sieger auf jeden Fall Vater Loerke.

»Matze!«

Das war Pipusch. Er schrie, als ob er am Ertrinken wäre. Matze fuhr herum – und erschrak genauso. Am Strand stand ein Mädchen im Bikini – und mit einer riesigen roten Mütze auf dem Kopf.

»Was ist denn? Kannst wohl nicht mehr!«, rief der Vater enttäuscht.

»Komm ja schon.« Schnell drehte Matze sich im Wasser herum und schwamm weiter hinter dem Vater her. Er durfte sich jetzt nicht verraten. Aber irgendwie war nun die Luft aus ihm raus. Er wollte nicht mehr gewinnen, sah nur immer wieder zu der roten Mütze zurück.

Sie musste es sein! Das Mädchen musste Lika sein. Ein schwarzhaariger Junge stand jetzt neben ihr. Und ein Mann und eine Frau waren auch dabei. Sie breiteten gerade die Decke aus.

»Matze!« Pipusch hatte es tatsächlich geschafft, an ihn heranzukommen, so aufgeregt war er geschwommen. »Das ist sie.« Er schluckte Wasser und spuckte es aus. »Das ist …« Er schluckte schon wieder Wasser.

»Halt die Klappe«, fuhr Matze ihn an. »Halt bloß die Klappe!« Und dann schwamm er dicht neben Pipusch her und erklärte ihm, dass sie ganz unauffällig mit Lika Kontakt aufnehmen mussten. Irgendwie nachher beim Ballspielen.

Pipusch nickte nur immer wieder. Er fand das alles irre toll. Das war ja, als würden sie in einem Krimi mitspielen – und noch dazu die Hauptrollen! Matze hoffte nur, dass Lika Verständnis dafür haben würde, dass sie nicht gleich zurück an Land schwammen. Sie konnte sich ja sicher denken, dass das aufgefallen wäre.

Aber Lika konnte sich nichts denken. Nicht an diesem Tag. Sie stand am Ufer, sah immer wieder zu dem knallgelben T-Shirt mit dem Tigerkopf hin, das da neben der lesenden Frau im Busch hing, und dann aufs Wasser hinaus. Einer der beiden Jungen, die da hinter dem Mann herschwammen, musste Matze sein. Aber warum hatte er nicht auf sie gewartet? Nach dem, was sie in den letzten Stunden durchgemacht hatte, hätte er wenigstens auf sie warten können.

Lika hatte an diesem Tag schon die unterschiedlichsten Gefühle gehabt. Sie war sauer gewesen, ängstlich, erleichtert, erschrocken, gespannt, enttäuscht – und nun war sie wieder sauer. Schon auf dem Bahnhof Friedrichstraße war es losgegangen. Erst hatten sie stundenlang in der Schlange gestanden und darauf gewartet, dass ein Kontrolleur die Ausweise begutachtete. Dann hatte es Probleme gegeben, weil sie nicht wussten, wo Bob sich anstellen sollte. Bei den Ausländern – oder bei ihnen? Gott sei Dank hatte einer der Kontrolloffiziere ihnen dann geholfen. Bob durfte bei ihnen bleiben.

Gleich hinter der Passkontrolle die nächste Schlange: Geld umtauschen. Pro Nase 25 Mark. Kinder hatten kostenlosen Eintritt.

Sie hätte ja nie gedacht, dass so viele Leute in den Osten rüberfahren wollten, wo doch sonst immer nur alle über die DDR meckerten.

Danach ging's zum Zoll. Auch da mussten sie warten, denn ausgerechnet die Frau, die vor ihnen stand, hatte die meisten Tüten mitgebracht – alle voller Schokolade und Zigaretten, Schnaps und Strümpfe und noch jeder Menge anderem, bunt verpacktem Zeugs. Und die Frau selber war nicht weniger farbenprächtig verpackt gewesen. Wie ein Praliné hatte sie ausgesehen, so stark geschminkt und aufgetakelt wie sie war. Die Mutter hatte die ganze Zeit nur gekichert, weil die Frau sie an *Schröders Damenwelt* erinnerte. Der Vater aber war langsam böse geworden. »Hat die 'n Laden im Osten?«, hatte er laut gefragt. Die Frau hatte das gehört, aber nicht die Ruhe verloren. »Nee, nur viele Verwandte«, hatte sie gesagt und weiter ausgepackt. Doch der Vater fing sich für seine Bemerkung auch eine Spitze ein. Als er dem Zollbeamten zeigte, was er in seiner Kühlbox hatte, grinste der und fragte auf Sächsisch: »Un Sie – Sie denken wohl, bei uns gibt's geene Limooo?«

Aber auch das war noch nicht alles gewesen. Als sie dann endlich in der Vorhalle zum Bahnhof standen, hatte der Vater die Ausweise gesucht. Ganz aufgeregt hatte er alle seine Taschen abgeklopft. »Ohne unsere Ausweise lassen die uns ja nie wieder zurück«, hatte er dabei gesagt und war immer mehr in Panik geraten.

Die Mutter war ruhig geblieben – und hatte die Ausweise bald gefunden: in der Kühlbox! »Na ja«, hatte sie gelacht. »Da drin bleiben sie wenigstens frisch.«

Es war alles eine einzige Theatervorstellung gewesen, aber eher ein Trauerspiel als eine Komödie. Wenn sie nur an die Grenze dachte – die vielen Sichtblenden, damit keiner was sehen konnte, die Wachtürme, die Soldaten mit den Maschinenpistolen –, dann wurde ihr gleich wieder ganz flau im Bauch. Bob hatte das alles viel besser überstanden. Der hatte die ganze Zeit nur aus dem Fenster gesehen und gelacht, wenn er einen von diesen ulkigen Sprüchen entdeckte, die da überall an den Häusern hingen. An einer Schule hatte gestanden: *Wir lieben dich – Leben!*, an einer Fabrik: *Unser Ziel: 100% Planerfüllung bis zum 20. Dezember*, an einer Markthalle: *Alles fürs Volk – alles für uns.*

Auch die Eltern hatten über die Sprüche geschmunzelt, obwohl sie, wie die Mutter sagte, ganz ernst gemeint waren. Doch danach hatten sie alle vier gestaunt: Sie waren direkt an dem riesigen Fernsehturm vorbeigefahren. So von unten gesehen, war er wirklich sehr hoch. »Den haben sie nur gebaut, um uns zu beeindrucken«, hatte der Vater gesagt und gegrinst. In Wahrheit aber war er wirklich beeindruckt gewesen.

Endlich waren sie dann in Friedrichshagen angelangt und eine lange Straße zur Weißen Flotte runtergelatscht. Alles so, wie Matze es beschrieben hatte. Auf der Fähre nach Rübezahl hatten sie stehen müssen, so voller unternehmungslustiger Ausflügler war das Schiff gewesen. Und in Rübezahl hatte der Vater plötzlich einen Rappel bekommen und sich erinnert, dass seine Mutter dort mal mit ihm zur Müggelseeperle – einem herrlich gemütlichen Gartenrestaurant – gewandert war. Da wollte er nun auch wieder hin. Doch zur Müggelseeperle ging es links am Ufer entlang und sie mussten nach rechts, wo diese Schniepelwiese liegen sollte, von der Matze gesprochen hatte.

Bob hatte die Sache gerettet. »Ja, Herr Schmidt«, hatte er gesagt, »gehen Sie mit Ihrer Frau ins Restaurant. Lika und ich gehen schon mal schwimmen.« Und damit war er einfach los- und Lika hinter ihm hergegangen.

Der Vater hatte nur kurz gezögert und war ihnen dann gefolgt. Sie hatten ihm nur versprechen müssen, dann wenigstens am Nachmittag mit ihm zur Müggelseeperle zu wandern.

Und nun stand sie hier wie ein Feuermelder, mit ihrer roten Mütze auf dem Kopf, unter der sie schon so schwitzte, und Matze schwamm seelenruhig seine Runden. Wütend nahm Lika die Mütze ab und warf sie ins Gras. Und dann lief sie einfach ins Wasser und stürzte sich – egal, ob kalt oder nicht – in die Fluten. Und Bob lief ihr nach und schwamm mit.

»Sie ko...kommen.« Pipusch schluckte schon wieder Wasser.

Verdammt! Das passte ihm gar nicht. Matze machte kehrt und schwamm in Richtung Ufer zurück. Pipusch folgte ihm, nur der Vater schwamm weiter auf den See hinaus. Lika sah die beiden Jungen kommen und wurde langsamer: Welcher von beiden war Matze? Jetzt hatte er ja sein gelbes T-Shirt nicht an. Und mit so klatschnassen Haaren sahen die beiden ziemlich gleich aus.

»Der vorne ist's«, flüsterte Bob. Er hatte Matze sofort erkannt.

Lika blieb im Wasser stehen, bewegte nur die Beine ein bisschen und sah Matze entgegen.

»Lika?«, rief Matze leise.

»Ja«, antwortete sie ebenso leise.

»Vorsicht! Meine Eltern sind auch da.«

Matze schwamm an Lika vorbei und sah ihr lange ins Gesicht. Es war ein komisches Gefühl, ein Mädchen, das er bisher nur aus Briefen und vom Telefonieren kannte, lebendig vor sich zu sehen.

Lika nickte nur und blickte Pipusch entgegen, der strahlend an ihr vorbeischwamm. »Wir kommen gleich mit dem Ball, ja?«

Lika nickte noch mal und schwamm weiter auf den See hinaus. Wenn sie den beiden nachschwammen, würde es auffallen. Etwas seltsam aber war ihr nun doch zumute: Da traf sie zwei fremde Jungen mitten in einem fremden See – und sie taten, als wären sie alte Bekannte.

»Was ist?« Bob schwamm an Lika heran.

»Wir wollen Ball spielen.«

»Gut.« Bob war einverstanden. Ihm gefiel dieser Ausflug. Lika sah es ihm an. »Wie findest du denn eigentlich meine Eltern?«, fragte sie. Es war ja das erste Mal, dass sie allein waren, seit sie sich an der Litfasssäule getroffen hatten.

»Gut«, sagte Bob wieder nur und lachte. »Dein Vater ist komisch.«

»Das kommt nur, weil er sich das Rauchen abgewöhnen will.« Lika hatte das Gefühl, den Vater verteidigen zu müssen. »Sonst ist er ganz anders.«

Bob überlegte und sagte dann: »Ich find ihn auch so in Ordnung.«

»Und meine Mutter?«

Bob machte große Augen. »Spitze!«

Lika musste lachen. »Spitze!«, ahmte sie Bob nach. »Spittze!« Und dann schwamm sie ein bisschen mit ihm um die Wette.

Matze und Pipusch hatten sich abgetrocknet und jeder einen Apfel genommen. Nun warteten sie kauend darauf, dass Lika und Bob wieder aus dem Wasser kamen. Pipusch hatte schon seinen Fußball aus dem Netz genommen. Einen Fuß auf den Ball gestellt, stand er da und sah auf den See hinaus. »Dass die ’nen Türken zum Freund hat?«, wunderte er sich.

»Warum denn nicht?« Matze fand zwar auch, dass es ein Unterschied war, von Likas türkischem Freund zu lesen oder ihn mit ihr auf den See hinausschwimmen zu sehen, aber da gab es nichts herumzureden: Alle Menschen waren gleich, egal ob Chinese, Russe, Amerikaner, Türke oder Franzose. Das wusste er nicht nur aus der Schule, das war seine Überzeugung.

»Ich mein ja nur«, entschuldigte sich Pipusch leise, »sie sieht doch wirklich gut aus.«

Matze nickte still. Ja, Lika sah gut aus. Sie war ein bisschen klein und dünn, aber sie sah gut aus. Ob er ihr auch gefiel? Es war schade, dass es zu keinem der herzlichen Treffen gekommen war, die er sich ausgemalt hatte. Sie waren vorhin einfach nur aneinander vorübergeschwommen – wie zwei Ozeanriesen auf dem Meer. Zweimal laut tuten, mehr war nicht gewesen.

»Da! Sie kommen!« Pipusch nahm seinen Ball auf und rückte noch ein bisschen näher an Matze heran. Matze steckte den Apfelgriebsch in den Mund, zog den Stiel wieder heraus und warf ihn weg. »Los!«, sagte er und nahm Pipusch den Ball ab. »Zeig mal, was du kannst.«

Aber erst mal zeigte nur er, was er konnte. Er nahm den Ball aufs Knie, auf die Fußspitze, auf den Kopf, wieder aufs Knie, wieder auf die Fußspitze, wieder auf den Kopf und immer so weiter. Eine Zeit lang sah Pipusch nur zu, dann kickte er den Ball einfach von Matze weg. Wenn Matze wollte, konnte er den Ball auf diese Weise eine Viertelstunde lang in der Luft behalten. Und solange Lika zuschaute, wollte er das bestimmt. Zusammen mit Pipusch lief Matze hinter dem Ball her und dabei dem Vater, der gerade aus dem Wasser kam, genau in die Arme. »Nanu?«, wunderte er sich. »Erst so lahm und jetzt so wild? Euch hat wohl 'n Frosch gebissen?«

Matze und Pipusch kicherten nur und liefen weiter. Sie waren nun allerbester Laune. Was hier passierte, hatten sie verabredet – und es hatte geklappt! Wenn ihnen das einer vorher gesagt hätte, sie hätten es nicht geglaubt.

Überschriften:
- Wannsee
- die Grenze

Guten Tag!
Nicht aus Zuckerwatte
Gemischte Mannschaften
Zusammen die Größten

»Na?«, fragte der Vater. »Ist das Wasser hier feuchter als im Wannsee?«

Er lachte, wollte sich irgendwie ablenken. Lika sah es ihm an: Für eine Zigarette hätte er jetzt sogar auf sein Häuschen im Grünen verzichtet. Doch sie hatte keine Zeit, seinen heldenhaften Kampf gebührend zu bewundern – Matze und Pipusch tollten schon wie verrückt hinter dem Ball her. Sie wollte endlich mal richtig mit ihnen zusammenkommen. Deshalb trocknete sie sich nur schnell ab und schnappte sich Bobs Fußball.

Die Mutter stieß dem Vater mit dem großen Zeh in den nackten Rücken. »Na, Sportsfreund? Was hältste denn von einer Runde um den See?«

Der Vater sprang gleich auf. Ein bisschen schwimmen würde ihn von seinen Zigaretten ablenken. »Klar!«, sagte er. »Einmal links rum, einmal rechts rum und einmal unten durch.« Er nahm die Mutter bei der Hand und lief mit ihr durch das hoch aufspritzende Wasser in den See hinein.

Lika grinste Bob an. Das klappte ja prima. Jetzt brauchten

sie nur noch auf Matzes Eltern Acht geben. Vorsichtig sahen sie zu den beiden hin. Aber die waren auch abgelenkt. Matzes Mutter rieb seinem Vater gerade den Rücken mit Sonnenöl ein.

Lika dachte daran, dass Matzes Mutter nicht wollte, dass Matze sich noch mit ihr schrieb. Wenn sie wüsste, dass sie inzwischen sogar schon ein paar Mal miteinander telefoniert hatten und sich heute hier trafen, was würde sie wohl tun? So übel sah sie ja eigentlich gar nicht aus.

»Los!« Bob wurde ungeduldig.

Er nahm Lika den Ball ab, ließ ihn ein paar Mal auftippen und warf ihn Lika wieder zu. Lika nahm den Ball, warf ihn in die Luft, nahm ihn auf den Kopf – und dann ging's los: Knie, Fußspitze, Kopf; Fußspitze, Knie, Kopf; Knie, Kopf, Fußspitze … Was Matze vorhin gezeigt hatte, konnte sie auch. Wozu hatte sie zwei Jahre lang beim 1. FC Leo gespielt.

»Kiek mal da!« Pipusch, der gerade den Ball hatte, hielt ihn fest und zeigte auf Lika. Matze sah zu ihr hin – und staunte: Von einem Mädchen hatte er so was noch nicht gesehen. Manuela war zwar sehr sportlich, aber Fußball spielen konnte sie nicht.

»Wollen wir zusammen spielen?«, fragte Bob laut und stellte sich zwischen Lika und Matze. »Dann sind wir vier.«

»Einverstanden«, antwortete Matze ebenso laut und freute sich darüber, wie gut ihm seine Schauspielerei gelang. Und damit traten sie nun alle vier aufeinander zu und sahen sich an.

»Guten Tag«, sagte Lika leise, denn dieser Gruß war nicht geschauspielert.

»Tag«, sagte auch Matze leise und musste grinsen. Und dann flüsterte er noch leiser: »Hat alles geklappt?«

»Ja, prima.« Lika sah vorsichtig erst zu ihren Eltern hin, die aber nun schon weit draußen schwammen, und dann zu Matzes Eltern, die inzwischen beide lasen. »Wir müssen erst mal zusammen spielen«, schlug sie vor. »Sonst fällt's auf, wenn wir miteinander reden.«

Matze nickte nur, Pipusch aber, dem die Schauspielerei besonders viel Spaß machte, fragte mit übertrieben verstellter Bassstimme: »Was – wollen – wir – denn – spielen?«

»Idiot!«, zischte Matze. Und dann fragte er in ganz normaler Lautstärke: »Zwei gegen zwei – oder jeder gegen jeden und einer geht ins Tor?«

»Jeder gegen jeden«, schlug Bob vor.

Matze und Lika waren einverstanden und Pipusch ging ins Tor. Er spielte nicht besonders gut, im Tor konnte er am wenigsten falsch machen.

Es wurde ein irres Gekicke. Alle gaben sich die größte Mühe, keiner blieb lange am Ball. Matze wollte gegen den etwas größeren Bob nicht ins Hintertreffen geraten und schaffte das auch. Nur wenn Lika den Ball hatte, zögerte er. Sie war doch ein Mädchen und klein und dünn dazu, die brach sich was ab, wenn er richtig zulangte. Außerdem guckte er sie jedes Mal erst lange an, bevor er nach dem Ball trat. Es war ja das erste Mal, dass sie sich trafen. Er war neugierig auf sie, wollte wissen, was sie in Wirklichkeit für eine war – und begriff bald: Frech war sie! Nutzte seine Zurückhaltung schamlos aus, nahm ihm den Ball ab, umspielte ihn eiskalt und schoss ein Tor nach dem anderen. Pipusch konnte sich zwischen den beiden Torpfosten aus gelbem T-Shirt und roter Mütze hin- und herwerfen, so viel er wollte: Gegen Likas Schüsse war er machtlos.

Das ging, bis es Bob reichte. »Mensch!«, schrie er Matze an.

»Geh doch mal ran. Die ist nicht aus Zuckerwatte.« Da stand es aber schon 7 Tore für Lika, 3 für Bob und 0 für Matze.

Lika kicherte nur und wollte Matze wieder umspielen. Da fasste er sich ein Herz und ließ einfach das Bein stehen. Lika flog ins Gras und stand sofort wieder auf. »Foul!«, schrie sie. »Das war ein ganz gemeines Foul. Das gibt 'n Elfer.«

Sie hatte Recht. Matze senkte den Kopf und ging ins Tor. Pipusch, der schon drauf und dran gewesen war, mal einen von Matzes Schüssen durchzulassen, trat still beiseite.

Matze machte die Beine breit, wippte ein bisschen mit den Knien und rief Lika zu: »Den halte ich.«

»Willst mich nervös machen, wat?« Lika zählte die elf Schritte ab, lief an und schoss Matze den Ball genau zwischen den Beinen durch. Bob musste lachen und Pipusch war empört: So eine Blamage!

Matze guckte finster und ließ Pipusch wieder ins Tor. Aber von nun an spielte er anders, viel aggressiver. Diese Lika machte ihn wütend, so hatte er sie sich nicht vorgestellt. Die war gar kein richtiges Mädchen! Und wenn sie noch so dünne Beine hatte, von nun an machte er Ernst.

Nicht lange und Matze holte auf. Bald stand es 11 Tore für Lika, fünf für Bob, vier für ihn. Und dann schoss er nacheinander drei Tore und hatte wenigstens Bob überholt. Das gefiel Bob nicht, nun kämpfte auch er aggressiver. Pipusch flogen die Bälle wie Mückenschwärme um die Ohren, ein Tor nach dem anderen kassierte er.

»Was ist denn hier los? Ist das noch 'n Freundschaftsspiel?« Matzes Vater stand plötzlich mitten auf dem Spielfeld. »Ich glaub, ihr braucht 'nen Schiedsrichter.«

»Nee«, sagte Matze ärgerlich. »Einen anderen Torwart.«

»Gut!« Der Vater war einverstanden. »Dann machen wir

ein neues Spiel.« Er zeigte auf Pipusch und Bob. »Ihr beide gegen die anderen beiden und ich geh ins Tor. Zweimal zehn Minuten.«

Nun waren Matze und Lika auf einmal in einer Mannschaft. Das passte Bob noch weniger. Er spielte immer besser und trieb damit auch Pipusch zu immer besseren Leistungen an. Matze und Lika aber waren ein gutes Team. Lika dribbelte sich geschickt frei und servierte Matze die Vorlagen. Und Matze schoss sie ein – unhaltbar für den Vater. Der Vater stöhnte bald. »Mädchen!«, rief er. »Wo hast du nur so gut Fußballspielen gelernt?«

»Beim 1. FC Leo«, rief Lika stolz zurück – und kriegte einen Schreck: Jetzt hatte sie sich verraten!

Auch Matze, Pipusch und Bob erschraken. Matzes Vater aber lachte nur. »1. FC Leo? Was 'n das für 'ne Truppe?«

»Straßenmannschaft! Das is 'ne Straßenmannschaft«, antwortete Lika schnell und hoffte nur, dass Matzes Vater jetzt nicht fragte, wo die denn lag, diese Leo-Straße. Doch Matzes Vater fragte nichts. Er gab den Ball zum Anstoß frei und rief nur: »Dich würde ich auch mitspielen lassen. Das kannste mir glauben.«

Lika lachte und jagte Pipusch schon wieder den Ball ab, um ihn Matze zuzuspielen. Und Matze schoss, obwohl er von Bob bedrängt wurde, zum 7:5 ein. Erneut musste der Vater den Ball holen gehen. Als er wiederkam, guckte er auf die Uhr. Die ersten zehn Minuten waren um, es war Halbzeitpause.

Sie ließen sich alle vier ins Gras fallen und Matzes Vater hockte sich dazu und sah Bob und Lika lange an. »Wart ihr schon oft hier?«

Lika schüttelte den Kopf. »Noch nie.«

»Und wo geht ihr sonst schwimmen?«

Lika wurde rot und sah Bob an. Bob grinste verlegen. »Gar nicht. Wir gehen lieber ins Kino.«

»Bist du Türke?«

Bob nickte. Da sah der Vater Matze an und auch Matze schoss das Blut in den Kopf: Der Vater ahnte was ... in Ost-Berlin gab's ja kaum Türken.

»Ihr müsst öfter kommen.« Der Vater lächelte Bob und Lika nachdenklich an. »Ist doch schön hier, oder?«

Das war zweideutig gemeint, Bob und Lika begriffen. Aber sie sahen auch, dass Matzes Vater nicht die Absicht hatte, ihr Treffen platzen zu lassen. Deshalb lächelten sie zurück und Lika sagte: »Ich find's toll.« Sie meinte damit aber nur den Müggelsee, sonst hatte sie ja noch nicht viel gesehen.

Die zweite Halbzeit verlief nicht mehr ganz so torreich wie die erste. 10:7 gewannen Matze und Lika gegen Pipusch und Bob. Weil sie aber nach dem Spiel nicht wussten, wie sie noch zusammenbleiben konnten, gingen sie wieder zu ihren Decken zurück.

Likas Eltern hatten ihre Runde um den See inzwischen beendet, lagen dick mit Sonnenöl eingeschmiert in der Sonne und strahlten Bob und Lika an. Es gefiel ihnen offensichtlich auch am Müggelsee.

»Na?«, fragte die Mutter. »Habt ihr gewonnen?«

»Ja«, sagte Lika. »Nein«, sagte Bob.

»Aha!« Der Vater lachte. »Ihr habt mit gemischten Mannschaften gespielt – sozusagen Gesamtberliner Teams.«

Lika ging an die Kühlbox, goss sich Limonade in einen Plastikbecher, trank hastig und schielte über ihren Becher hinweg zu Matze und Pipusch hin. Die beiden gefielen ihr, die waren wirklich in Ordnung. Besonders Matze. Es tat ihr Leid, dass sie ihn am Anfang so böse ausgetrickst hatte. Es war ja nur Verlegenheit gewesen, weil er jedes Mal, wenn sie mit dem Ball auf ihn zukam, so komisch geguckt hatte. Er hatte sie so angestarrt, dass sie gar keine Gelegenheit hatte, ihn auch mal näher zu betrachten. Sie war ja auch neugierig auf ihn. Erst als sie eine Mannschaft waren, hatte sie ihn ein bisschen studieren können. Und da hatte sie gemerkt, dass er so war, wie sie ihn sich nach seinen Briefen vorgestellt hatte: kein Supermatze, aber sicher ein prima Kumpel.

Auch Bob goss sich Limonade ein. Und er guckte beim Trinken ebenfalls zu Matze und Pipusch hin. »Spielt gut Fußball, oder?«

»Ja«, antwortete Lika nur. Bob sollte bloß nicht wieder eifersüchtig werden. Sie wollte heute einen tollen Tag erleben und sich den durch nichts vermiesen lassen.

Gerade als Lika das dachte, stand Pipusch auf und begann einen Wasserball aufzublasen. Und Matze sah zu ihr hin. Lika verstand sofort.

»Ich geh noch ein bisschen ins Wasser«, sagte sie laut und blinzelte Bob zu. Bob verstand. Er trank aus, stellte seinen Becher weg und folgte ihr langsam.

»Sie haben kapiert«, flüsterte Pipusch. Matze nickte und sah zum Vater hin. Aber der tat nun, als schliefe er. Und die Mutter las immer noch in ihrer neuen Betriebsvereinbarung. Also spielte der Vater mit. Er würde sie beobachten, aber der Mutter nichts verraten. Matze stand auf und stakste hinter Pipusch her ins Wasser. Pipusch fackelte nicht lange. Er warf seinen Wasserball gleich Bob zu und der warf ihn zu Lika. Etwa fünf Minuten lang flog der Ball hin und her. Dabei wurde kein Wort gesprochen, nur ab und zu mal gelacht, wenn der Ball zu weit daneben flog oder vor dem Fänger aufs Wasser klatschte und ihn nass spritzte. Dann nahm Lika den Ball zwischen beide Hände und paddelte mit den Füßen ein Stück weiter auf den See hinaus. Matze, Bob und Pipusch folgten ihr. Als sie weit genug draußen waren, legten sie sich alle vier auf den Rücken und sahen verlegen einer den anderen an. Jetzt waren sie zum ersten Mal miteinander allein, jetzt brauchten und durften sie nicht mehr schauspielern.

»Dein Vater ist in Ordnung«, sagte Lika als Erstes und warf Matze den Ball zu, damit er sich auch mal an ihm festhalten konnte.

Matze nahm den Ball und freute sich über Likas Lob. Dann fragte er: »Warum seid ihr denn erst so spät gekommen? Wir haben schon gedacht, ihr kommt nicht mehr.«

»Hast du 'ne Ahnung!« Lika lachte. Und dann erzählten Bob und sie abwechselnd, was sie an der Grenze alles erlebt hatten.

Matze und Pipusch hörten staunend zu. Woher hätten sie wissen sollen, wie es an der Grenze zuging, wenn einer sie besuchen wollte. Und als Lika und Bob nichts mehr zu erzählen hatten und nur noch über ihre Erlebnisse lachten, wussten sie nicht, ob sie mitlachen durften oder sich für ihre Grenze schämen mussten.

»Schade, dass ihr uns nicht besuchen dürft«, sagte Lika schließlich und sah Matze an. »Am Wannsee ist's auch schön.«

Matze nickte nur. Warum sollte es am Wannsee nicht schön sein? Dass er kleiner war als der Müggelsee, besagte ja nichts. Aber sehen würde er den Wannsee wohl nie. Sie hatten ja keine Verwandten drüben, die sie vielleicht irgendwann mal besuchen durften.

»Euer Fernsehturm ist aber hoch«, sagte Bob dann zu Pipusch. »Viel höher als unser Funkturm.«

»Dafür ist euer Fußballstadion größer«, wehrte Pipusch bescheiden ab. Er hatte das Olympiastadion mal im Fernsehen gesehen. Es hatte ihm mächtig imponiert.

Danach schwiegen alle vier nachdenklich, bis Pipusch leise sagte: »Zusammen wären wir 'ne tolle Stadt. Da käm so leicht keine andere mit.«

Bob freute sich, endlich mal einen gefunden zu haben, der genauso ein Berlin-Fan war wie er. »Ja«, sagte er, »zusammen wären wir die Größten überhaupt.«

Wieder schwiegen alle vier. Dann fragte Matze: »Kommt ihr irgendwann mal wieder?«

Lika dachte an den Verdacht, den sie gehabt hatte, weil Matze am Telefon manchmal so komische Fragen stellte. Sie schämte sich ein bisschen dafür. »Wenn meine Eltern mitmachen«, sagte sie leise. Aber dann lachte sie. »Wenn ich erst 'nen eigenen Ausweis habe, komm ich bestimmt öfter mal vorbei.«

»Ich auch.« Bob nickte.

»Bist du dann immer noch in Berlin?«, fragte Pipusch neugierig.

»Was denn sonst?« Bob spuckte voller Verachtung ins Wasser. »Ich bin Berliner – genau wie ihr.«

»Klar!«, sagte Pipusch. Aber komisch kam es ihm doch vor. Bob merkte das, nahm es Pipusch aber nicht übel. Er bespritzte ihn nur mit Wasser. Pipusch spritzte zurück – und schon war eine Wasserschlacht im Gange. Es wurde getaucht und an den Füßen gezogen, gespritzt und untergetunkt. Matze und Lika machten gleich mit. Aber der beste Wasserkämpfer war Bob. Er hatte eine Menge Tricks von seinem älteren Bruder gelernt. Der war Wasserballer. Dagegen kamen Matze und Pipusch und Lika nicht an.

Katastrophen-Salat
Eine unmögliche Situation
Lika und die Mafia
Frieden ist mehr

Es war ein herrlicher Tag, dieser Sonntag am Müggelsee. Die Sonne lag so warm über der Schniepelwiese, als wollte sie die beiden Familien, die es sich im Gras gemütlich gemacht hatten, mal so richtig verwöhnen. Doch dann meinte sie es zu gut, sie wurde immer heißer, immer sengender – und erinnerte Matzes Mutter an ihren Kartoffelsalat. Sie legte die neue Betriebsvereinbarung beiseite und kramte das Einweckglas aus der Tasche. »Du lieber Gott!«, sagte sie zu ihrem Mann und musste lachen. »Wenn wir den nicht bald essen, können wir ihn wegwerfen.«

»Ich hab Hunger wie 'n Waldschrat.« Matzes Vater kramte die Würstchen hervor und biss gleich in eines hinein, während die Mutter mit dem Glas Kartoffelsalat in den Händen ans Wasser ging und winkte: »Matze! Pipusch! Es gibt was zu essen!«

Das war's! Von diesem Augenblick an war es mit dem Sonntagsfrieden auf der kleinen Wiese vorbei. Eine Katastrophe bahnte sich an.

»Matze?«, flüsterte Likas Mutter verblüfft und richtete sich auf. »So hieß doch der Junge, mit dem Lika sich geschrieben hat?«

»Ja!« Auch Likas Vater setzte sich auf. »Das kann doch kein Zufall sein?«

Es war kein Zufall. Likas Eltern dachten sich das bald. So viele Matzes gab es ja nicht. Und hatten sie sich nicht gleich gewundert, dass Lika und Bob sich so schnell mit den beiden Ost-Berliner Jungen angefreundet hatten? »Na warte, Tante Anna!«, flüsterte Likas Vater leise vor sich hin. Und dann schüttelte er nur fassungslos den Kopf: »Das ist ja 'n Hammer!«

Im gleichen Moment fuhr auch Lika auf. Sie hatte den Ruf nach Matze und Pipusch zwar wahrgenommen, aber zuerst nicht so richtig beachtet. Dann war sie plötzlich bis tief ins Herz hinein erschrocken: Matze! Matzes Mutter hatte »Matze« gerufen und ihre Eltern mussten das, wenn sie nicht gerade sehr tief geschlafen hatten, auch gehört haben ...

Sie hatten es gehört! Sie wussten alles! Wie sie dasaßen und zu ihr hinblickten, war eindeutig. »Auweia!«, stöhnte Lika. »Jetzt ist alles aus.«

»Wieso?« Matze begriff nicht. Er trieb noch immer neben Lika. Es war so schön im Wasser, Mutters Kartoffelsalat konnte ruhig noch ein bisschen warten.

»Meine Eltern wissen doch, dass du Matze heißt«, jammerte Lika. »Denkste, die sind blöd?«

»Matze!«, rief die Mutter noch einmal und winkte mit ihrem Kartoffelsalat. »Piipusch!«

Nun hatte auch Matze kapiert, was geschehen war. »Machen deine Eltern jetzt Stunk?«, fragte er.

»Mit dir nicht, aber mit mir«, seufzte Lika.

Matze schwieg. Was hatte die Mutter da nur angerichtet.

Den blöden Kartoffelsalat hätten sie doch auch später noch essen können.

»Ich geh raus. Hat ja nun sowieso alles keinen Zweck mehr.« Langsam schwamm Lika auf das Ufer zu. Matze, Bob und Pipusch schwammen neben ihr her. Gerade jetzt, wo es am schönsten war, musste das passieren!

»Sehen wir uns nachher noch mal?«, fragte Matze leise, als er wieder Grund unter den Füßen spürte.

»Ich glaub nicht.« Lika schüttelte traurig den Kopf.

»Also … sehen wir uns niemals wieder?«

Lika wusste, wie Matze zumute war. »Auf jeden Fall ruf ich dich morgen gleich an«, sagte sie. »Dagegen kann ja keiner was machen.«

Matze konnte nur nicken. Ihm war plötzlich ganz elend. Und als Bob auf ihn zukam, um Pipusch und ihm zum Abschied kräftig die Hand zu schütteln, wäre er am liebsten zu Likas Eltern hingelaufen, um ihnen zu sagen, dass er an allem schuld war und nicht Lika. Wenn er keine Flaschenpost losgeschickt hätte, hätten sie ja nie voneinander erfahren … Nur der Gedanke, dass dann auch seine Mutter alles mitbekommen würde und er damit alles nur noch verschlimmerte, hielt ihn davon ab.

»Tschüss!« Auch Lika gab Matze und Pipusch die Hand.

»Tschüss!« Matze drehte sich um und lief von Lika und Bob fort. Er wollte nicht noch zu heulen anfangen. Und Pipusch lief mit ihm mit, genauso traurig, genauso wütend, nur noch ein wenig verständnisloser.

Lika und Bob sahen den beiden einen Moment lang nach, dann gingen auch sie zur Decke zurück. Ein ungutes Schweigen empfing sie. Bob nahm sich sein Handtuch und ging ein Stück zur Seite.

Lika blieb vor den Eltern stehen. Sie wollte es lieber gleich hören.

Die Mutter begann. »Du hast uns also belogen? Hast uns erzählt, keinen Kontakt mehr zu dem Jungen zu haben. Dabei habt ihr euch hier heimlich getroffen.«

Lika schwieg. Was sollte sie dazu sagen? Es stimmte ja alles.

»Das is 'n Ding!« Der Vater wollte es immer noch nicht so recht glauben. »Das ganze Theater um die Fahrt hierher hatte nur den Zweck, diesen Jungen zu treffen?«

»Und seine Eltern wissen offensichtlich auch nichts davon.« Vorsichtig guckte die Mutter zu Matzes Eltern hinüber. »Die habt ihr auch angelogen ...«

»Sein Vater weiß es«, sagte Lika leise.

»Ach? Den habt ihr also eingeweiht?«, ärgerte sich der Vater.

Lika schüttelte traurig den Kopf. »Er hat's gemerkt – vorhin, beim Fußballspielen.«

Dem Vater wurde immer klarer, was sich hier abgespielt hatte. Und je klarer es ihm wurde, desto heftiger fühlte er sich hintergangen.

»Eine Frechheit ist das!«, schimpfte er. »Eine Frechheit ohnegleichen!« Und er guckte Lika an, als wisse er nicht mehr ganz genau, ob sie noch seine Tochter war. »Ihr verabredet hier einfach ein Treffen und benutzt eure Eltern nur als Reitkamele? Ja, schämt ihr euch denn gar nicht? Sind wir für euch nur so was wie der Rest der Welt?«

Langsam wurde auch Lika wütend. »Na ja!«, rief sie. »Was sollten wir denn tun, wenn ihr euch so blöd anstellt?«

Das war zu viel. Der Vater sprang auf und schmierte ihr eine. Lika warf sich ins Gras, verbarg den Kopf in den Händen und heulte los. Sie heulte nicht, weil die Ohrfeige ihr wehgetan hatte, sie heulte vor Wut. Es stimmte ja, die Eltern waren selber schuld. Warum durften Matze und sie sich denn nicht treffen? Was war denn dabei, wenn sie im gleichen See badeten?

»Finden Sie das etwa in Ordnung?«

Eine fremde Frauenstimme hatte das gesagt. Lika hob den Kopf – und vergaß vor Schreck weiterzuheulen: Matzes Mutter! Sie stand vor ihrer Decke, das noch halb volle Glas mit dem Kartoffelsalat in den Händen, und guckte den Vater böse an.

»Wie bitte?« Der Vater begriff nicht, um was es ging.

»Ob Sie das in Ordnung finden, ein Kind zu schlagen.« Matzes Mutter kam nicht näher, aber sie ließ den Vater nicht aus den Augen.

»Was geht *Sie* das denn an?«, verteidigte sich der Vater. »Kümmern Sie sich um Ihre eigenen Angelegenheiten.«

»Wenn Sie Ihr Kind schlagen, ist das nicht nur Ihre Angelegenheit«, rief Matzes Mutter zurück. »Oder denken Sie, es macht uns Spaß, das mit anzusehen?«

»Spinnt die?« Der Vater wusste nicht mehr, was er sagen sollte.

»Du hättest es wirklich nicht tun sollen.« Der Mutter war die Sache peinlich. »So schlimm ist das ja alles nicht.«

»Na und? Was geht *die* das an?«, ärgerte sich der Vater. »Die hat doch keine Ahnung. Ich werd ihr mal sagen, was hier wirklich passiert.« Und er machte Anstalten, zu Matzes Mutter hinüberzugehen.

»Nicht!« Die Mutter sprang auf und hielt den Vater fest. »Damit machst du ja alles nur noch schlimmer. Wenn ihr Mann ihr nichts davon gesagt hat, will er offensichtlich nicht, dass sie davon erfährt.«

Der Vater guckte unschlüssig. »Soll ich mir von dieser Matzemutter vielleicht dumm kommen lassen?«

»Ja«, sagte die Mutter. »Steck's ein und schluck's runter. Es ist besser so. Sie hat ja auch nicht ganz Unrecht. Dir ist doch nur die Hand ausgerutscht …«

»Gut!« Der Vater gab nach. »Aber dann verschwinden wir jetzt. Ist ja 'ne unmögliche Situation, in die du uns da gebracht hast.«

Das Letztere hatte er zu Lika gesagt. Es sollte Protest und Entschuldigung zugleich sei. Lika nahm die Entschuldigung nicht an. Der Vater sollte sich gefälligst richtig bei ihr entschuldigen. Und der Protest kümmerte sie nicht. Wenn der Vater sich blamierte, war das seine Sache.

»Jetzt gehen sie«, flüsterte Pipusch Matze zu.

Matze sah schnell hin und gleich wieder weg. Ja, Likas Eltern packten zusammen. Aber damit hatte er schon gerechnet. Viel schlimmer war, dass Lika seinetwegen auch noch eine Ohrfeige einstecken musste. Er war zusammengezuckt, als er das sah. So, als ob es ihn erwischt hätte … Und die Mutter hatte natürlich wieder ihre Klappe nicht halten können. Dabei hätte sie ihm, als Likas erster Brief gekommen war, am liebsten auch eine runtergehauen.

Aber warum war das alles so? Was hatten sie denn mit der Politik der Politiker zu tun? Warum konnten die beiden Familien nicht einfach zusammenrücken und gemeinsam den Tag verbringen? Likas Eltern sahen doch gar nicht unsympathisch aus. Wenn die Mutter gewusst hätte, mit wem er sich hier heimlich getroffen hatte, hätte es bei ihm auch geknallt. Da war er sich ganz sicher. Und warum? Nur wegen der Nachteile, vor denen sie Angst hatte. Aber was sollte das ganze Gerede von Frieden und Völkerfreundschaft, wenn man Angst vor solchen Begegnungen haben musste? Und war der Mutter ihr Vorwärtskommen im Beruf denn wirklich wichtiger als eine eigene Meinung?

Matze sah die Mutter an. Sie hatte ihn in der letzten Zeit oft enttäuscht. Lag das eigentlich nur an ihr – oder auch an ihm?

Die Mutter teilte den letzten Rest Kartoffelsalat auf. Erst gab sie Pipusch und dann ihm noch etwas auf den Teller. »Typisch Westler!«, schimpfte sie dabei leise vor sich hin. »Protzen hier rum und schlagen ihre Kinder.«

»Woher weißt du denn, dass es Westler sind?« Der Vater stellte sich dumm. »Und wieso haben sie geprotzt?«

»Hast du ihre Kühlbox nicht gesehen?« Die Mutter wurde noch leiser. »Die haben sich ihre eigene Limonade mitgebracht. Als ob's bei uns keine gäbe.«

»Vielleicht schmeckt ihre besser.« Der Vater grinste.

»Na, und wenn schon!« Der Mutter imponierte das nicht. »Selbst wenn ihre Brause wie Götternektar schmeckt, würd ich mich damit nicht abschleppen. Der war ja ganz außer Puste, als er hier ankam.«

Der Vater sagte nichts mehr. Er steckte sich eine Zigarette an, legte sich auf die Decke zurück und rauchte still vor sich hin.

»Sie gehen«, flüsterte Pipusch wieder.

Matze sah, wie Likas Eltern die Taschen und die Kühlbox nahmen, wie Lika traurig zu ihm hinschaute und auch Bob noch mal zu ihnen hinsah. Und plötzlich konnte er nicht anders: Er sprang auf und lief Lika nach. »Tschüss«, sagte er und gab ihr noch einmal die Hand. Und Lika nahm die Hand und verstand, was er wirklich sagen wollte. »Tschüss.« Sie lächelte traurig. »Es war schön hier. Schade, dass ...« Sie verstummte, drehte sich um und ging zu ihren Eltern.

Matze gab auch Bob noch mal die Hand, dann ging er langsam zur Decke zurück. Die Mutter nickte ihm zu: »Das hast du gut gemacht. Schließlich habt ihr den ganzen Tag zusammen gespielt. Und vielleicht hast du das Mädchen damit ein bisschen getröstet.«

Matze senkte den Blick und auch der Vater rauchte nur still weiter.

Pipusch sah Lika und Bob noch nach. »Jetzt sind sie weg«, sagte er traurig.

Sie gingen den Uferpfad entlang und schwiegen. Es war noch immer so herrliches Wetter. Auf dem Müggelsee kreuzten Segelboote im Wind, zwei voll besetzte weiße Ausflugsschiffe begegneten sich; es wurde gerufen und gewunken, gerudert und geschwommen.

Und die Menschen, die Lika und Bob und Likas Eltern nun entgegenkamen, hatten von der Sonne gerötete Gesichter und waren in Ausflugslaune. Die gute Laune um sie herum aber machte Lika nur noch trauriger. Und die Wolken auf den Gesichtern ihrer Eltern wollten auch nicht verschwinden.

»Gehen wir noch zur Müggelseeperle?«, fragte der Vater, als sie die Schiffsanlegestelle Rübezahl erreicht hatten. »Zum Nachhausefahren ist's ja eigentlich noch zu früh. Außerdem müssen wir das Geld noch ausgeben, das wir umgetauscht haben. Zurückwechseln geht nicht.«

Die Mutter nickte nur, Bob nickte auch und Lika war es egal. Also gingen sie weiter am Ufer entlang, bis sie das überfüllte Gartenrestaurant erreicht hatten. Doch sie hatten Glück, gerade als sie kamen, stand eine Familie auf. Das verbesserte Vaters Laune wieder ein bisschen. Er bestellte Kaffee und Limonade und vier Stück Kirschtorte. Und dann stand vor jedem ein riesiges Stück Torte. Bob hatte einen Mordsappetit und machte sein Stück in wenigen Sekunden nieder. Die Eltern aßen nur langsam und Lika rührte ihr Stück nicht an. Sie konnte jetzt nichts essen.

Irgendwann stand der Vater auf, ging fort und kam mit Zigaretten zurück. »Tut mir Leid«, sagte er zur Mutter. »Das ist ein schlechter Tag zum Abgewöhnen.«

Der Vater kannte die Zigarettenmarke nicht, sagte aber, er hätte schon Schlechteres geraucht. Und als er drei Zigaretten geraucht hatte, besserte sich seine Laune noch mehr. Er musste sogar lachen: »Also wirklich! Wenn man sich das vorstellt – eine Tochter haben wir, ausgebufft wie die New Yorker Mafia.«

Bob lachte mit. Er kannte eine Menge Mafia-Filme und stellte sich Lika als Gangsterchefin vor. Lika lachte nicht mit. Was der Vater da gesagt hatte, war kein Kompliment.

Die Mutter hatte inzwischen über vieles nachgedacht. »Es ist schon seltsam«, sagte sie. »Eigentlich hat Lika Recht. Wir Erwachsene sind schon ein blöder Verein. Was haben wir nur aus unserer Welt gemacht! Überall Grenzen, Mauern, Misstrauen. Und dazu natürlich die entsprechenden Waffen ... Wenn ich Kind wäre, würde ich uns auch für den Rest der Welt halten – für den letzten Rest, den allerletzten!«

»Na klar!«, sagte der Vater und nickte übertrieben heftig. »Die beknackten Erwachsenen und die tollen Kinder! Wie immer! Aber auch ich war mal ein tolles Kind und bin heute ein bescheuerter Erwachsener und für alles Unglück in der Welt verantwortlich. Und in zwanzig Jahren wird's genau dasselbe sein. Nur sind dann die Kinder von heute die Erwachsenen.« Er grinste Bob und Lika zu. »Freut euch schon mal darauf.«

Bob grinste zurück. »Also wäre es das Beste, alle blieben immer Kinder?«

Er verstand diese Sorgen nicht. Was wollten Likas Eltern denn? Es war Frieden in Deutschland, alle hatten zu essen, es ging ihnen gut. Mehr durfte man nicht verlangen, sagte sein Vater immer.

Die Mutter dachte nach und schüttelte lange den Kopf: »Frieden ist mehr. Frieden ist, was ihr vier heute getan habt. In unserer Welt gibt es noch keinen wirklichen Frieden.«

Und dann legte sie Lika die Hand auf den Arm und entschuldigte sich bei ihr. »Es tut mir Leid. Ich habe mich geärgert, weil du uns so hinters Licht geführt hast. Aber jetzt seh ich ein, du konntest gar nicht anders.«

Lika blickte den Vater an. Würde er sich nun auch entschuldigen?

Der Vater begriff. »Mir tut es auch Leid«, sagte er und hielt Lika die Hand hin. »Besonders die Ohrfeige. Du weißt ja, normalerweise bin ich kein Gewaltmensch.«

Lika nahm die Hand und lächelte dem Vater zu. Sie wusste, dass er sich wirklich schämte.

»In Zukunft musst du uns so was aber sagen«, mahnte die Mutter. »Auch wenn du genau weißt, dass wir anderer Meinung sind. Sonst können wir ja eines Tages überhaupt nicht mehr miteinander reden.«

Lika nickte. Ihr war es so auch lieber.

»Wie seid ihr denn überhaupt weiter in Kontakt geblieben?«, wollte der Vater nun wissen. »Post ist doch keine mehr gekommen.«

»Er hat *mir* geschrieben«, antwortete Bob für Lika. Aber Lika wollte nun alles laut und deutlich sagen. »Nein!«, widersprach sie Bob. »Er hat nur deine Adresse benutzt, in Wirklichkeit hat er mir geschrieben. Und ich hab fünfmal mit ihm telefoniert. Und gleich morgen ruf ich ihn wieder an.«

Die Eltern guckten nachdenklich, und als der Vater nickte, sagte die Mutter: »Ruf ihn ruhig an. Wir wissen nicht, ob das richtig ist, was ihr da macht – wir wissen aber auch nicht, ob es falsch ist. Das müsst ihr selber entscheiden.«

Das hieß, die Verantwortung für alles, was von jetzt an geschah, lag bei ihr. Lika seufzte laut auf und griff zum Löffel, um doch noch ihr Stück Torte zu essen. Sie fühlte sich sehr erleichtert. Aber sie spürte auch schon die Verantwortung. Wer seinen eigenen Kopf hat, läuft auch gegen seine eigene Wand, sagte der alte Wuttke in seinem Kiosk am Leo immer. Und damit hatte er Recht, genauso war's. Aber er sagte auch: Mit einem geliehenen Kopf immer um die Wände herum zu laufen, ist Selbstbetrug. Und das war fast noch richtiger als das andere.

Nächsten Sonntag
Der eine und der andere
Nur ein paar Wochen
Dieselbe Luft, dieselben Sterne

Es war Sonntagabend. Matze saß mit seinen Eltern beim Abendbrot und aß nur wenig. Er hatte keinen Appetit und musste viel nachdenken.

Auch die Eltern schwiegen. Die Mutter hatte einen Sonnenbrand im Gesicht und war müde. Und der Vater war ebenfalls sehr nachdenklich. Im Radio gab ein Sprecher die Nachrichten durch. Er sagte, dass sich die Politiker beider Stadthälften über einen neuen Vertrag geeinigt hätten, der der Verständigung der Menschen dienen solle.

Der Vater hörte aufmerksam zu und blickte dann zu Matze hin. »Hört sich gut an, was?« Matze hätte sich fast verschluckt. Wollte der Vater vor der Mutter mit ihm über Politik reden? Vielleicht sogar über Lika und ihre Eltern?

Die Mutter wollte etwas sagen, doch genau in diesem Moment klingelte das Telefon. Der Vater ging hin, kam aber gleich wieder zurück und winkte Matze. »Für dich.«

Matze stand auf. War das etwa schon Lika?

»Pipusch«, sagte der Vater und setzte sich wieder hin. »Es ist Pipusch. Er will dir was Wichtiges sagen.«

Enttäuscht ging Matze in den Flur und nahm den Telefonhörer auf. »Ja?«

»Matze?«, fragte Pipusch aufgeregt.

»Ja«, sagte Matze nur noch mal.

»Weißte, was passiert ist?« Pipuschs Stimme überschlug sich fast vor Freude. »Der Besuch ist weg! Sie haben sich gestritten und sie hat ihn rausgeworfen. Und gesagt hat sie ... gesagt hat sie ...« Pipusch konnte kaum weiterreden, so aufgeregt war er, »... dass sie ... dass sie nun für alle Zeiten die Nase voll hat von den Männern. Die taugen alle nichts, hat sie gesagt.«

Matze freute sich für Pipusch, obwohl er Pipuschs Mutter nicht glaubte. Beim letzten Mal hatte sie genau das Gleiche gesagt – und dann doch wieder einen neuen Besuch mitgebracht.

»Diesmal meint sie's ernst.« Pipusch ahnte, was Matze dachte. »Wirklich! So wütend war sie noch nie.«

Matze wollte fragen, was er denn angestellt hatte, der neue Besuch, aber dann ließ er das sein. Er hatte heute keine Lust mehr auf ein solches Gespräch. »Toll!«, sagte er nur, um Pipusch eine Freude zu machen.

»Ja, was?« Pipusch biss fast in den Telefonhörer, so dicht war sein Mund an der Sprechmuschel. »Und nächste Woche will meine Mutter mal mit uns an den Müggelsee fahren. Kommste mit?«

Mit Pipusch und seiner Mutter an den Müggelsee? Warum nicht. »Klar komme ich mit. Aber dann nehmen wir mein Schachspiel mit. Sonst wird's langweilig, wir beide ganz allein.«

»Einverstanden!«, rief Pipusch in den Hörer. Und dann jodelte er nur noch ein »Gute Nacht, Eure Lordschaft!« hinein.

»Gute Nacht.« Matze legte auf und kehrte an den Abendbrottisch zurück.

Dieser neue Vertrag! Matze hätte jetzt gerne weiter davon gesprochen. Doch nun erzählte die Mutter gerade von der neuen Halle, die in ihrem Betrieb gebaut wurde, da konnte er sie nicht unterbrechen. Und als sie damit fertig war, ging es nicht mehr. Es wäre aufgefallen, wenn er jetzt damit anfing. Dabei hätte es ihn interessiert, ob dieser Vertrag auch für Lika und ihn irgendwelche Bedeutung hatte. Vielleicht, dass sie sich jetzt leichter treffen konnten.

»Na? Was sagt Freund Pipusch?«

Der Vater wollte Matze aufheitern. Brav erzählte Matze von dem neuen Besuch bei Pipuschs Mutter, der sich schon wieder erledigt hatte.

Die Mutter hörte aufmerksam zu. Dann sagte sie: »Ich versteh die Frau nicht. Sie ist doch so tüchtig. Warum kann sie nicht allein leben?«

»Alle Menschen sind nun mal nicht gleich«, antwortete der Vater. »Der eine liebt es, ab und zu allein zu sein, und der andere kommt um, wenn er mit sich allein bleiben soll.«

Die Mutter guckte nachdenklich und musste schließlich lächeln: »Auf jeden Fall ist dein Pipusch ein lieber Kerl. Den kannst du ruhig öfter mitbringen.«

Matze sah zum Vater hin. Und der Vater verstand. Lika und Bob sind auch lieb, sagte Matzes Blick. Warum darf ich *sie* nicht öfter mitbringen? Doch der Vater sagte nichts, begann nur nachdenklich das Geschirr abzuräumen.

Matze stand auf und half ihm und ging gleich ins Bad. Er war nicht müde, er wollte nur in sein Bett, um mit sich und seinen Gedanken allein zu sein. Wenn er nicht ehrlich mit ihnen reden konnte, nützte ihm das Zusammensitzen mit den Eltern nichts.

Als er dann im Bett lag, kam der Vater noch mal. Er schloss

die Tür hinter sich und knipste die Nachttischlampe an. »Wir müssen's ihr sagen«, flüsterte er. »Gleich morgen.«

Matze nickte nur still. Ja, sie mussten es der Mutter sagen. Dass sie am See nichts bemerkt hat, bewies ja nur, dass sie ihm immer noch vertraute und dass sie sich gar nicht vorstellen konnte, dass er hinter ihrem Rücken so was anstellte. Deshalb mussten sie ihr nun alles sagen, angefangen von den Papierschnipseln, die der Vater wieder aus dem Mülleimer gefischt hatte, bis hin zum Treffen am Müggelsee. Sicher würde sie enttäuscht und traurig sein, doch es ging nicht anders, sie durften es ihr nicht länger verheimlichen. Es war so schon alles schlimm genug.

Der Vater lächelte Matze zu. »Dieses Mädchen, diese ... wie heißt sie gleich noch mal?«

»Lika – Angelika.«

»Also diese Lika, die ist schon 'ne Wucht. Und ihr türkischer Freund ist auch sehr in Ordnung.«

Es war schön, dass der Vater gar nicht wissen wollte, wie es denn weitergegangen war mit ihrer Brieffreundschaft. Auch das würde er den Eltern morgen erzählen – und sie bitten, Opa Haase nicht böse zu sein. Es wäre unrecht, wenn sie ihm seine Hilfe übel nahmen. Er hatte ja nichts Schlimmes getan – und Pipusch und er hatten viel bei ihm gelernt.

»Gute Nacht.« Der Vater wollte wieder gehen. Schnell fragte Matze: »Dieser neue Vertrag, über den sie in den Nachrichten geredet haben – ist der wirklich gut?«

Der Vater, der schon die Hand an der Türklinke hatte, zog sie wieder zurück. »Gut sind alle Verträge, sogar die, die nicht eingehalten werden.« Er lachte. »Sie zeigen ja, dass man es wenigstens miteinander versucht ...« Aber dann wurde er wieder ernst. »Ja, dieser neue Vertrag bedeutet eine kleine Verbesserung für die Menschen in Ost und West. Aber dein Problem löst er nicht.« Er machte eine kurze Pause und sagte dann noch ernster: »Dein Problem ist nicht zu lösen. Jedenfalls nicht in der nächsten Zeit. Wir können nur lernen, damit zu leben – und das Beste draus zu machen.«

Matze nickte stumm. Was der Vater gesagt hatte, klang gut. Darüber wollte er nachdenken.

Der Vater wünschte Matze noch mal eine gute Nacht und ging. Matze löschte das Licht und starrte ins Dunkel. Das Beste draus machen … Hatten Lika und er das Beste draus gemacht? Nein, sie mussten es besser machen, ohne Tricks und Lügerei. Das Versteckspielen hatte alles nur noch schlimmer gemacht.

Er würde von nun an ehrlich sein. Jedenfalls wollte er es versuchen. Und deshalb würde er der Mutter auch sagen, warum er kein Vertrauen zu ihr gehabt hatte. Und auch, weshalb er trotz ihrem Verbot weiter an Lika geschrieben hatte. Und wie dankbar er dem Vater war, dass er nicht auf die Mutter gehört und ihm geholfen hatte. Er hatte die Mutter lieb und das wusste sie auch. Aber er würde nie nur wegen irgendwelcher Vorteile auf einen Freund verzichten. Das musste er ihr sagen.

Matze presste den Kopf ins Kissen und dachte an den Tag, an dem er die Flaschenpost auf die Reise geschickt hatte. Damals hatte er von der weiten Welt geträumt, von Palmenstränden und von einem Jungen, der auf seine Flaschenpost wartete. Nun kam er sich viel älter vor, dabei waren doch inzwischen nur ein paar Wochen vergangen.

Ob Lika ihn wirklich noch einmal anrufen würde? Oder vielleicht sogar öfter? – Oder nie mehr?! Sie brauchte ihn ja nicht, sie hatte ja Bob … Und dazu sicher noch viele andere Freunde. Ein Mädchen wie Lika musste viele Freunde haben.

Es wurde heiß im Bett. Die viele Sonne, die die Haut abbekommen hatte, glühte nach. Matze stand auf, lehnte sich ans offene Fenster und sah auf die laternenbeschienene Straße hinaus.

Es war immer noch so warm, eine milde Luft lag über dem dunklen Plänterwald. Und der Himmel war wolkenlos und voller Sterne.

Ob Lika jetzt vielleicht auch gerade am Fenster stand? Wenn ja, atmete sie dieselbe Luft, sah sie dieselben Sterne. Und wenn sie an ihn dachte, konnte sie ihn von nun an so vor sich sehen, wie er wirklich war. Und er sie auch.

Ein gutes Gefühl überkam Matze. Eigentlich war der Tag doch nicht so schlecht gewesen. Er hatte Lika kennen gelernt, Lika und Bob. Sie hatten zusammen Fußball gespielt, eine Wasserschlacht veranstaltet und miteinander geredet. Und irgendwie hatten sie auch miteinander gesiegt. Sie konnten sich wirklich nicht beschweren.

Zufrieden legte er sich wieder hin und dachte daran, was er Lika alles sagen würde, wenn sie ihn morgen anrief. Und wie schön das war, dass er dort Freunde hatte – auf der anderen Seite der Mauer.

Nachwort

Das gute Ende

Diese Geschichte wurde 1987 geschrieben. Damals war sie Gegenwart. Damit es keine traurige Geschichte wurde, tat ich, als würde sie von einem erzählen, der in einer fernen Zukunft lebt.

Als ich die Idee zu dieser Geschichte hatte, rechnete niemand damit, dass die Mauer zwischen Ost- und West-Berlin bald abgerissen werden würde. Am 9. November 1989 geschah das »Wunder«: Die Bevölkerung der DDR zwang ihre Regierung, endlich auch die westlichen Grenzen zu öffnen. In Massen strömten die Ost-Berliner in den Westteil ihrer Stadt, und in endlosen Autoschlangen standen die Bürger der DDR an den Grenzen zur Bundesrepublik, um endlich einmal einen Blick in ihre nächste Nachbarschaft werfen zu können. Inzwischen gibt es keine DDR mehr, aus den zwei Deutschland ist wieder eins geworden und auch die Stadt Berlin ist nicht mehr zweigeteilt.

Das ging und geht nicht ohne Probleme und Härten ab. Vor allem für die Menschen in der ehemaligen DDR. Dennoch freue ich mich, dass mein Buch von der »Flaschenpost« nunmehr eine »Geschichte aus der Geschichte« geworden ist. An seine Geschichte sollte sich jedes Volk erinnern; besonders an die Fehler, die es gemacht hat. Die Berliner Mauer war Symbol für viele Fehler, die im Namen Deutschlands in diesem Jahrhundert begangen wurden. Wir sollten sie nie vergessen.

Meine Geschichte und die Wirklichkeit

Im Nachwort zur ersten Ausgabe meiner »Flaschenpost« berichtete ich über die Entstehungsgeschichte dieses Buches. Weil ich glaube, dass dieses Nachwort nach wie vor interessant ist und zum Staunen Anlass bietet, soll es hier unverändert abgedruckt werden:

Die Geschichte von Matze und Lika ist frei erfunden. Die Idee dazu hatte ich etwa 1984. Andere Arbeiten hielten mich davon ab, sie früher zu schreiben.

Im Frühjahr 1986 verabredete ich mit dem Otto Maier Verlag, die Geschichte so bald wie möglich anzufangen. Ein Jahr später, im Frühjahr 1987, schrieb ich die ersten Kapitel. Im Sommer 1987 folgte ich einer Einladung des Goethe-Instituts nach Australien. Fünf Wochen reiste ich durch das Land, lernte viele Leute kennen und schätzen und erzählte auch von dem Manuskript, an dem ich gerade arbeitete. Als ich zurückkam, schickte mir eine australische Lehrerin einen Zeitungsartikel, ausgeschnitten aus einer West-Berliner Zeitung. Berliner Freunde hatten ihr den Zeitungsartikel nach Australien geschickt. Der Zeitungsartikel begann so:

Antwort auf Flaschenpost

Die Geschichte könnte von Hans Christian Andersen erfunden sein, ist aber wahr und beginnt am West-Berliner Havelstrand.

Ein Mann schlendert unmittelbar an der Wasserkante entlang und sieht, zwischen nackten Baumwurzeln verfangen, eine verkorkte Mineralwasserflasche. Darin entdeckt er einen gerollten Papierstreifen, der mit einer grünen Schleife zusammengebunden ist. Welcher Geist mag in der Flasche stecken?

Am Taschenmesser hat der Spaziergänger einen Korkenzieher. So ist die Flasche rasch geöffnet. Das Papier lässt sich herausholen. Es ist etwas aufgeweicht und wird vorsichtig aufgerollt.

»Hallo, hallo, hallo!« So beginnt der Text der mit Schreibmaschine getippten Botschaft. Eine Zwanzig-Pfennig-Briefmarke der DDR für Rückporto ist beigefügt, die sich am Fundort freilich nicht verwenden lässt.

Absender war eine Schulklasse der 5. Oberschule, 1195 Berlin, Kiefholzstraße 274. Sie liegt im Ost-Berliner Bezirk Treptow unweit der Spree, die in Spandau in die Havel mündet …

Eine Schulklasse der 5. Oberschule Berlin-Treptow? Diese Schule hatte auch ich einst besucht. Zwei Jahre lang, von 1959 bis 1961. Was schrieb die Schulklasse?

»Wir sind Jungen und Mädchen aus Berlin. Wir halten zusammen und wünschen uns viele neue Freunde. Deshalb schicken wir unsere Freundschaftsgrüße in dieser Flaschenpost auf die Reise. Alle von uns sind neugierig darauf, wer unsere Flaschenpost finden wird und ob uns jemand antwortet. Wir würden uns sehr über deinen Gruß freuen. Schreibst du uns?«

Der Finder der Flaschenpost schickte den Brief an die Zeitung und die Zeitung schrieb an die Leitung der Treptower Schule. Sie wollte gerne wissen, welche Kinder die Flaschenpost losgeschickt hatten, damit der Finder antworten könne. Die Zeitung bekam keine Antwort. Sie versuchte es noch mal – telefonisch. Eine Frauenstimme antwortete, dass sie in der Sache keine Ant-

wort geben wolle. Aus. Kein Happy End dieser wahren Geschichte. Jene Zeitungsnotiz, die mir die australische Lehrerin schickte, stammte vom Sonntag, dem 3. März 1985. Sie hat mich, der ich ja gerade an einer solchen Geschichte arbeitete, sehr bewegt. Aber dann habe ich mich geärgert: Wie dumm waren die Redakteure dieser Zeitung! Glaubten sie etwa, eine Ost-Berliner Schule würde einer West-Berliner Zeitung zu einem Kontakt mit Ost-Berliner Schülern verhelfen? Warum hatte der Finder der Flaschenpost nicht direkt an die Schulklasse geschrieben? Wozu musste er eine Zeitung einschalten? – Wahrscheinlich war er schon zu erwachsen, um selber noch Spaß an einer Brieffreundschaft mit Kindern zu haben.

Ich weiß nicht, ob der Finder eine Antwort bekommen hätte, wenn er den Kindern direkt geschrieben hätte. Auch dieser Kontakt wäre ja über die Schulleitung erfolgt. Auf jeden Fall aber wäre die Chance größer gewesen.

Ich habe danach lange nachgedacht – über meine Geschichte und über die Wirklichkeit – und mich ein bisschen über die vielen Zufälle gewundert:

1. *Da gibt es also Vorbilder für meinen Matze, von denen ich gar nichts wusste, als ich ihn erfand.*
2. *Und diese Vorbilder leben auch noch ausgerechnet in der gleichen Gegend, in der ich meinen Matze wohnen lasse.*
3. *Sie gingen in dieselbe Schule, in der ich eine wichtige Zeit meines Lebens verbrachte.*
4. *Der Zeitungsartikel musste erst von Berlin nach Australien und von Australien in eine hessische Kleinstadt geschickt werden, damit er mich erreichte.*
5. *Wäre ich nicht nach Australien geflogen, hätte ich wahrscheinlich nie von diesem Zeitungsartikel erfahren.*

6. Der Zeitungsartikel erschien an einem 3. März. An einem 3. März habe ich meine Frau kennen gelernt.
7. Wo ich sie kennen gelernt habe? Im Plänterwald – und das, obwohl ich damals schon längst in einem anderen Ost-Berliner Stadtteil lebte.

Genug Gründe zum Staunen, finde ich. Aber auch genug Gründe zum Nachdenken. Ist die Wirklichkeit nicht manchmal viel phantastischer als die Phantasie? Sollte ich meine Geschichte ändern?

Ich habe sie nicht geändert. Ich bin überzeugt davon, so wie ich es geschildert habe, hätte es auch passiert sein können – und ist es vielleicht auch passiert. Nur hat keine Zeitung was davon erfahren, weil der Finder der Flaschenpost klüger war.

Es gibt sicher jede Menge Likas in West-Berlin, die einem Matze in Ost-Berlin schreiben würden. Und vielleicht eines Tages sogar den Wunsch hätten, mehr von dem ihnen unbekannten Teil ihrer Stadt zu erfahren. Und sicher gibt es auch in West-Berlin Matzes, die Flaschenpost-Briefe losschicken. Nur treiben die nicht nach Ost-Berlin, sondern durch die DDR in die Nordsee. Aber vielleicht hat ein Mädchen in der DDR schon mal die Flaschenpost eines West-Berliner Jungen gefunden – oder ein Junge die eines West-Berliner Mädchens.

Richtig betrachtet sind übrigens auch Bücher Flaschenpost-Sendungen. Die Autoren werfen ihre Botschaften in das Meer der vielen Bücher, die jedes Jahr erscheinen, und wissen nicht, wer ihre Post erhält. Manchmal aber bekommen sie Antworten und erfahren so, dass ihre Flaschenpost tatsächlich gefunden worden ist.

Warum ich meine Flaschenpost schon jetzt ins Wasser geworfen habe, aber so tue, als ob sie erst im nächsten Jahrtausend auf die Reise ginge? Weil ich glaube, dass wir an unseren Sor-

gen und Problemen zu dicht dran sind, um sie mit Abstand betrachten zu können. Und weil ich sicher bin, dass die Menschen in jener fernen Zukunft sich für uns interessieren werden. So wie wir uns ja auch für die alten Römer, Napoleon und die Urmenschen interessieren. Und vielleicht erzählt dann einer über uns so eine Geschichte. Und die Menschen jener Zeit halten sie für ein Märchen, weil sie sich nicht vorstellen können, dass wir Menschen von heute so dumm waren, wie wir es nun leider mal sind.

Ob die Menschen im nächsten Jahrtausend klüger sind? Wir müssen hoffen.

So schrieb, dachte und hoffte ich im Frühjahr 1988. Sind wir inzwischen klüger geworden? Ein kleines bisschen vielleicht?

Ich weiß nicht. Die Mauer in Berlin ist ja immer noch nicht ganz weg. In vielen Köpfen existiert sie weiter. Und das in Ost und West. Außerdem war die Berliner Mauer ja auch nicht die einzige Mauer, die es zu beseitigen galt. Als ich meine Geschichte über Matze und Lika schrieb, dachte ich auch an all die anderen »Mauern« in unserer Welt; »Mauern« zwischen verfeindeten Ländern, zwischen Ausländern und Inländern, zwischen Armut und Reichtum und auch zwischen verschiedenfarbigen Menschen. Diese »Mauern« sind noch lange nicht weg. Und werden wir sie jemals wegbekommen?

Wir müssen weiter hoffen.

August 1999

Klaus Kordon

© Wonge Bergmann

Klaus Kordon

Klaus Kordon, geboren 1943 in Berlin, war Transportunternehmer und Lagerarbeiter, studierte Volkswirtschaft und unternahm als Exportkaufmann Reisen nach Afrika und Asien. Heute lebt er als freier Schriftsteller in Berlin. Seine Bücher wurden in viele Sprachen übersetzt und zahlreich ausgezeichnet. Für sein Gesamtwerk erhielt er den Alex-Wedding-Preis der Akademie der Künste zu Berlin und Brandenburg und den Großen Preis der Deutschen Akademie für Kinder- und Jugendliteratur.
Bei Beltz & Gelberg erschienen u. a. die »Trilogie der Wendepunkte« mit den Romanen *Die Roten Matrosen, Mit dem Rücken zur Wand* und *Der erste Frühling,* sowie die »Jacobi Saga« mit den Romanen *1848. Die Geschichte von Jette und Frieder, Fünf Finger hat die Hand* und *Im Spinnennetz*. Zuletzt erschienen *Joss oder der Preis der Freiheit,* ein Prequel zu *1848, Hilfe, ich will keinen Hund!*, *Der einarmige Boxer* und *Hadscha, ich und der Himmel über der Pampa*.

Klaus Kordon

Paule Glück

Das Jahrhundert in Geschichten

Mit einer Zeittafel
348 Seiten (ab 12), Gulliver TB 78339

1904: Paule trägt Zeitungen aus, um für seine Familie etwas hinzu zu verdienen. Doch dann wird der Vater arbeitslos. Paule fängt in der Fabrik als Heizer an. 1941: Für Wolf ändert sich vieles, als er plötzlich den gelben Stern tragen muss. 1984: Gabi und Katja gehen beide in Berlin zur Schule, die eine in Berlin-Ost, die andere in Berlin-West …

Klaus Kordon

Ein Trümmersommer

Roman, 208 Seiten (ab 12), Gulliver TB 74775

Berlin 1947 – eine Stadt in Trümmern, in der weitergelebt werden muss. Mittendrin Pit und Eule, ihre Freunde, Geschwister und Mütter. Die Väter sind gefallen oder in Gefangenschaft. Die Jagd nach etwas Essbarem und Schwarzmarktkäufe gehören zum Alltag. Pit und Eule spielen in den Ruinen und gründen eine Bande, die in einen Einbruch verwickelt wird. Die Jungen fliehen, verstecken sich in einem Keller und werden verschüttet …

Klaus Kordon
Hadscha, ich und der Himmel über der Pampa

Roman, 237 Seiten (ab 14), Beltz & Gelberg 75434
Ebenfalls als E-Book erhältlich (74679)

Matti muss weg, weg von Schule, Eltern und seiner Freundin Jessy und zwar allein. So schnappt er sich sein Fahrrad und kommt in das kleine Dorf in der ostdeutschen Pampa. Eigentlich sucht er seine alte Kinderliebe Inka, doch dann stößt er auf den alten Hadscha Krey mit seinem Moskwitsch. Ihm kann er nichts vormachen, denn Hadscha kennt das Leben. Was ursprünglich nur als kleine Flucht gedacht war, wird zu einer unvergesslichen Woche mit neuen Freundschaften. Am Ende weiß Matti, was er tun muss, um wirklich frei zu sein.

Klaus Kordon
Krokodil im Nacken

Roman, 796 Seiten (ab 14), Gulliver TB 78632
Deutscher Jugendliteraturpreis
Ebenfalls als E-Book erhältlich (74179)

Die bewegende Lebensgeschichte des Manfred Lenz, der nach einem missglückten Fluchtversuch aus der DDR ein Jahr in Stasi-Gefängnissen verbringt. Er erinnert sich an seine Kindheit und Jugend in Ost-Berlin und an die Verzweiflung, die ihn eines Tages zur Flucht in den Westen zwingt. Ein Zeitpanorama, wie es authentischer und packender nicht sein könnte.

Klaus Kordon

Joss oder Der Preis der Freiheit

Roman, 378 Seiten (ab 14), Gulliver TB 74802
Ebenfalls als E-Book erhältlich (74505)

Joss kam als Findelkind nach Siebeneichen, wo ihn Vater Mewes und Mutter Marie an Sohnes statt aufgenommen haben. Napoleonische Truppen haben das Haus seiner Familie angesteckt, nur er hat überlebt. Fasziniert schließt er sich mit 16 den Lützower Jägern an, einem Freikorps, das Anschläge gegen die französischen Besatzungstruppen ausführt. Doch gleich bei seiner ersten Schlacht lernt Joss das wahre Gesicht des Krieges kennen, und er ahnt, dass Freiheit nur dann etwas wert ist, wenn man sie für das nutzt, was wirklich zählt.

Klaus Kordon

Das Karussell

Roman, 456 Seiten (ab 14), Gulliver TB 74466
Ebenfalls als E-Book erhältlich (74405)

Die Geschichte von Bertie und Lisa, zwei, die nichts voneinander wissen und sich aufeinander zu bewegen, als wären sie füreinander bestimmt. Ein wunderbarer Roman, mit dem Kordon die Geschichte einer großen Liebe in den Zeiten des 2. Weltkriegs erzählt und nebenbei ein halbes Jahrhundert Revue passieren lässt.

Martina Wildner
Königin des Sprungturms

Roman, 216 Seiten (ab 11), Gulliver TB 74578
Deutscher Jugendliteraturpreis
Buch des Monats der österreichischen AG Kinder- und Jugendliteratur
Ebenfalls als E-Book erhältlich (74545)

Die 12-jährige Nadja kennt kein Leben ohne Karla. Tag für Tag gehen sie zum Sprungtraining – Auerbachsalto, Delfinkopfsprung. Nadjas Sprünge sind beeindruckend, aber Karla ist die Königin des Sprungturms, die die Leute zum Verstummen bringt. Doch von einem Tag auf den anderen gelingen Karla keine Sprünge mehr …

Simon van der Geest
Krasshüpfer

Aus dem Niederländischen von Mirjam Pressler
Roman, 239 Seiten (ab 14), Gulliver 74894
Nominiert für den Deutschen Jugendliteraturpreis

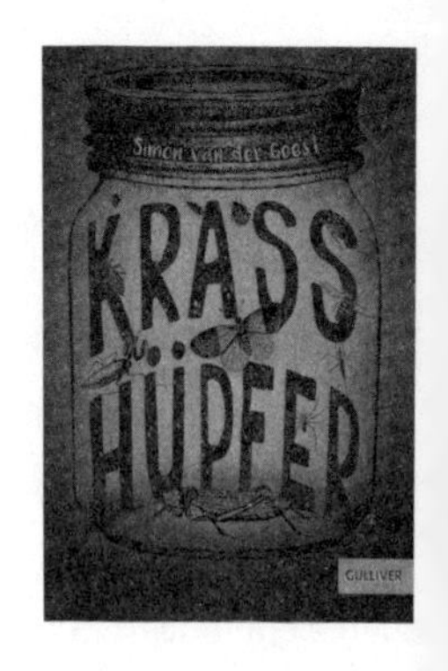

Hidde (oder »Spinnerling«, wie ihn alle nennen) ist ein Außenseiter. Er sammelt Insekten aller Art. Dass er dafür den Keller nutzen kann, hängt mit dem Geheimnis zusammen, das er mit seinem großen Bruder Jeppe teilt. Doch jetzt will Jeppe den Keller für seine Band haben. Der Konflikt eskaliert und erst im letzten Moment kommen die Brüder zur Besinnung.

GULLIVER www.beltz.de
Beltz & Gelberg, Postfach 10 01 54, 69441 Weinheim